세종
한국어

익힘책

1A

문화체육관광부
국립국어원

발간사

최근 전 세계인이 접하는 한류 콘텐츠의 규모가 늘어나면서 한류 문화가 확산되고 있고, 그 결과로 한국어를 배우고자 하는 외국인 학습자의 기세가 매우 놀랍습니다. 세계 곳곳이 코로나19로 침체기를 겪던 2021년에도 한국어능력시험 응시자는 30만 명을 훌쩍 넘었으며, 문화체육관광부의 세종학당은 2007년 13곳에서 2022년에는 84개국 244개소로 증가하였습니다. 이러한 한류의 지속적인 확산을 뒷받침하기 위해서는 한국어교육의 탄탄한 지원이 필요합니다.

한류 콘텐츠와 함께 성장하는 한국어교육의 토대를 다지기 위해, 문화체육관광부와 국립국어원은 2011년 처음 발간된 《세종한국어》를 새로 다듬기로 하였습니다. 2019년부터 기초 연구를 시작한 교재 개정 작업은 3년의 시간을 들여, 2022년 드디어 새로운 《세종한국어》를 펴내게 되었고, 이를 세종학당재단과 함께 알리게 되었습니다.

새롭게 개정된 《세종한국어》는 첫째, 세종학당 곳곳에서 한국어를 배우고자 하는 열의로 가득 찬 외국인 학습자 중심의 교재를 지향하였습니다. 둘째, 현지 세종학당의 학습 환경에 따라 유연하게 활용할 수 있는 맞춤형 교재로 정비되었습니다. 셋째, 한류 콘텐츠에 대한 외국인들의 관심을 내용에 반영함으로써, 한국어 공부에 대한 학습자의 부담을 낮췄습니다. 마지막으로 세종학당을 대표하는 표준 교재로서 구심점 역할을 담당하고, 이후의 한국어 학습을 위한 연계성도 잘 갖추었습니다.

세종학당은 한국어와 한국 문화로 한국과 세계를 연결하는 대한민국 대표의 국외 한국어교육 기관입니다. 국립국어원과 문화체육관광부는 앞으로도 세종학당재단과 협력하여 전 세계에서 한국어를 사랑하는 이들이 꿈을 이룰 수 있도록 지속적인 노력과 지원을 아끼지 않겠습니다.

끝으로 교재 개발을 위해 최선의 노력을 기울여 주신 연구·집필진과 출판사 관계자분들께 진심으로 감사의 말씀을 드립니다. 《세종한국어》의 새로운 출발과 함께 문화체육관광부와 국립국어원, 세종학당재단이 세계로 더 나아갈 수 있도록 여러분의 따뜻한 관심 부탁드립니다.

2022년 8월
국립국어원장 장소원

머리말

세종학당은 한국과 전 세계를 연결하는 한국어·한국 문화 보급 기관입니다. 이번에 개발한 교재는 상호 문화주의에 기반하여 한국어 학습에 대한 학습자의 흥미를 증진함으로써 한국어 의사소통 능력을 향상시키는 것을 목표로 하였습니다. 이를 위해 최근 한국의 상황을 적극적으로 반영하였고 최신 교수법을 구현할 수 있는 새로운 구성과 디자인을 적용하였습니다. 이를 통해 국외 한국어교육의 방향성을 새롭게 제시하고자 하였습니다. 개정 《세종한국어》의 구체적 특징은 다음과 같습니다.

첫째, 세종학당의 표준 교육과정인 가형, 나형, 다형 전 과정에 탄력적으로 활용할 수 있도록 '기본 교재'와 '더하기 활동 교재'로 구분하였습니다. '기본 교재'에는 해당 등급에 필요한 핵심적인 내용을 담았으며, '더하기 활동 교재'에는 심화·확장이 필요한 언어 지식과 의사소통 활동을 담았습니다. 이를 통해 다양한 학습자 특성에 맞게 교재를 선택하여 사용할 수 있도록 하였습니다.

둘째, 효과적 교수·학습을 위해 단계별로 단원 구성을 차별화하였으며 학습 내용 또한 언어 발달 단계에 맞는 교수 학습 내용과 절차를 적용하였습니다. 특히 다양한 삽화와 시각적 자료를 적극적으로 제시하여 한국어 학습의 흥미를 극대화할 수 있도록 노력하였습니다.

셋째, 교재 전반에 생생한 한국 문화 내용을 배치하여 학습자들이 상호 문화적 관점에서 한국 문화를 이해하고, 궁극적으로는 자국의 문화와 한국 문화에 대한 바른 태도를 형성할 수 있도록 하였습니다.

넷째, 교재와 함께 '익힘책', '교사용 지도서', '어휘·표현과 문법', 수업용 PPT와 같은 보조 자료들을 개발하여 교사·학습자의 요구에 맞게 교재를 활용할 수 있도록 하였습니다.

이 교재를 기획하고 개발하는 모든 과정에 함께해 주신 국립국어원과 현지 학당과의 협조와 지원을 아끼지 않으신 세종학당재단, 그리고 학습자들이 재미있게 한국어를 배울 수 있도록 멋지게 디자인해 주신 공앤박출판사에 감사의 마음을 전하고 싶습니다. 끝으로 3년이라는 긴 시간 동안 오로지 한국어교육에 대한 열정으로 좋은 교재를 만들어 내기 위해 애써 주신 모든 집필진께 말로는 다할 수 없는 깊은 감사의 마음을 전합니다.

2022년 8월
저자 대표 이정희

차례

차례

I. 한글의 모음과 자음

1. 모음 연습 1

   1) 다음을 읽고 써 보세요.

글자	쓰는 순서	연습					
아	아	ㅏ					
어	어	ㅓ					
오	오	ㅗ					
우	우	ㅜ					
으	으	ㅡ					
이	이	ㅣ					
애	애	ㅐ					
에	에	ㅔ					

I. 한글의 모음과 자음

2) 다음을 읽고 써 보세요.

글자	쓰는 순서	연습				
아	아	아				
어	어	어				
오	오	오				
우	우	우				
으	으	으				
이	이	이				
애	애	애				
에	에	에				

3) 알맞은 것을 연결해 보세요.

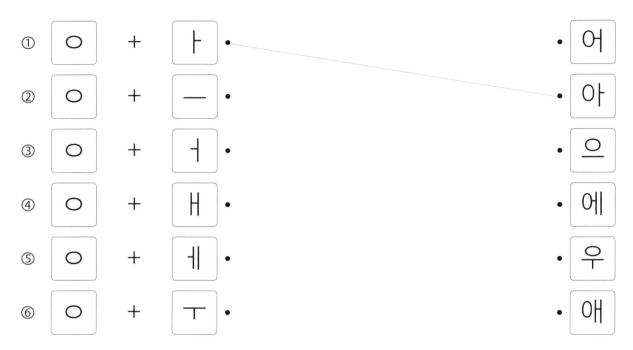

4) 잘 듣고 맞는 발음에 √ 표시를 해 보세요.

① 어 (√) 아 (　　) 　② 우 (　　) 어 (　　)

③ 으 (　　) 이 (　　) 　④ 오 (　　) 아 (　　)

⑤ 어 (　　) 에 (　　) 　⑥ 이 (　　) 애 (　　)

5) 잘 듣고 모음을 완성해 보세요.

① 아　　　② ㅇ　　　③ ㅇ

④ ㅇ　　　⑤ ㅇ　　　⑥ ㅇ

I. 한글의 모음과 자음

2. 자음 연습 1

1) 다음을 읽고 써 보세요.

글자	쓰는 순서	연습			
ㄱ	ㄱ	ㄱ			
ㄴ	ㄴ	ㄴ			
ㄷ	ㄷ	ㄷ			
ㄹ	ㄹ	ㄹ			
ㅁ	ㅁ	ㅁ			
ㅂ	ㅂ	ㅂ			
ㅅ	ㅅ	ㅅ			
ㅇ	ㅇ	ㅇ			
ㅈ	ㅈ	ㅈ			
ㅎ	ㅎ	ㅎ			

I. 한글의 모음과 자음

2) 다음을 읽고 써 보세요.

글자	ㅏ	ㅓ	ㅗ	ㅜ	ㅡ	ㅣ	ㅐ	ㅔ
ㄱ	가	거	고	구	그	기	개	게
ㄴ								
ㄷ								
ㄹ								
ㅁ								
ㅂ								
ㅅ								
ㅇ								
ㅈ								
ㅎ								

3) 알맞은 것을 연결해 보세요.

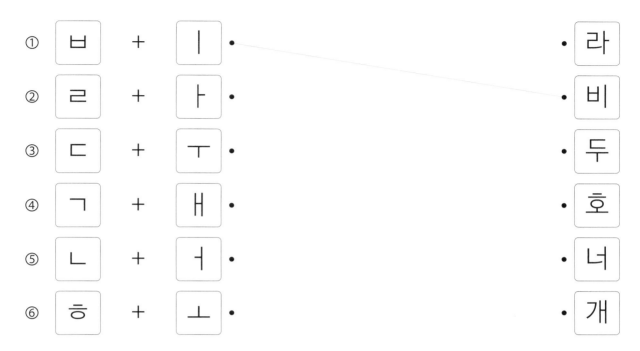

4) 잘 듣고 맞는 발음에 √ 표시를 해 보세요.

① **아 (　　)** **하 (√)**　　② 지 (　　) 히 (　　)

③ 수 (　　) 주 (　　)　　④ 게 (　　) 네 (　　)

⑤ 매 (　　) 배 (　　)　　⑥ 러 (　　) 거 (　　)

5) 잘 듣고 글자를 완성해 보세요.

① 나　　② ㅗ　　③ ㅡ

④ ㅣ　　⑤ ㅓ　　⑥ ㅜ

I. 한글의 모음과 자음

3. 모음 연습 2

1) 다음을 읽고 써 보세요.

글자	쓰는 순서	연습				
야	야	ㅑ				
여	여	ㅕ				
요	요	ㅛ				
유	유	ㅠ				
얘	얘	ㅒ				
예	예	ㅖ				
와	와	ㅘ				
왜	왜	ㅙ				
외	외	ㅚ				
워	워	ㅝ				
웨	웨	ㅞ				
위	위	ㅟ				
의	의	ㅢ				

I. 한글의 모음과 자음

2) 다음을 읽고 써 보세요.

글자	ㅑ	ㅕ	ㅛ	ㅠ	ㅒ	ㅖ	ㅘ	ㅙ	ㅚ	ㅝ	ㅞ	ㅟ	ㅢ
ㄱ	갸	겨	교	규	걔	계	과	괘	괴	궈	궤	귀	긔
ㄴ													
ㄷ													
ㄹ													
ㅁ													
ㅂ													
ㅅ													
ㅈ													
ㅎ													

3) 알맞은 것을 연결해 보세요.

① ㅇ + ㅑ = 야

② ㄱ + ㅘ =

③ ㄹ + ㅠ =

④ ㅎ + ㅢ =

⑤ ㅁ + ㅕ =

⑥ ㅈ + ㅝ =

4) 잘 듣고 맞는 발음에 √ 표시를 해 보세요.

① **여 (   ) 요 (√)**　　　　② 와 (   ) 왜 (   )

③ 외 (   ) 워 (   )　　　　　④ 돼 (   ) 뒤 (   )

⑤ 냐 (   ) 녀 (   )　　　　　⑥ 교 (   ) 규 (   )

5) 잘 듣고 글자를 완성해 보세요.

① 야　　　② ㄱ　　　③ ㅂ

④ ㅇ　　　⑤ ㅅ　　　⑥ ㅎ

I. 한글의 모음과 자음

4. 자음 연습 2

1)   다음을 읽고 써 보세요.

글자	쓰는 순서	연습			
ㅋ	ㅋ	ㅋ			
ㅌ	ㅌ	ㅌ			
ㅍ	ㅍ	ㅍ			
ㅊ	ㅊ	ㅊ			
ㄲ	ㄲ	ㄲ			
ㄸ	ㄸ	ㄸ			
ㅃ	ㅃ	ㅃ			
ㅆ	ㅆ	ㅆ			
ㅉ	ㅉ	ㅉ			

I. 한글의 모음과 자음

2) 다음을 읽고 써 보세요.

글자	ㅏ	ㅓ	ㅗ	ㅜ	ㅡ	ㅣ	ㅐ	ㅔ
ㅋ	카	커	코	쿠	크	키	캐	케
ㅌ								
ㅍ								
ㅊ								
ㄲ								
ㄸ								
ㅃ								
ㅆ								
ㅉ								

5. 받침

1) 받침이 들어간 글자를 듣고 따라 읽어 보세요. 🔊 07

받침	발음	단어
ㄱ, ㄲ, ㅋ	[ㄱ]	약, 밖, 부엌
ㄴ	[ㄴ]	눈, 문, 손
ㄷ, ㅌ, ㅅ, ㅆ, ㅈ, ㅊ, ㅎ	[ㄷ]	곧, 밑, 옷, 있다, 낮, 빛, 히읗
ㄹ	[ㄹ]	달, 물, 불
ㅁ	[ㅁ]	곰, 봄, 땀
ㅂ, ㅍ	[ㅂ]	밥, 집, 옆
ㅇ	[ㅇ]	공, 병, 빵

2) 다음 단어를 듣고 알맞은 받침을 써 보세요. 🔊 08

① 강   ② 버   ③ 무   ④ 소

⑤ 추   ⑥ 다   ⑦ 고   ⑧ 야

⑨ 거 다   ⑩ 채 상   ⑪ 하 그

II. 한글 연습

1. 한글 연습 1

1) 잘 듣고 맞는 것을 고르세요. 🔊 09

① **아이** (✓) **오이** (　　)　　② 나무 (　　) 너무 (　　)

③ 가수 (　　) 가시 (　　)　　④ 배우 (　　) 매우 (　　)

⑤ 나이 (　　) 사이 (　　)　　⑥ 도로 (　　) 다리 (　　)

⑦ 이사 (　　) 이자 (　　)　　⑧ 누구 (　　) 구두 (　　)

⑨ 개나리 (　　) 개구리 (　　)　　⑩ 그리고 (　　) 그래서 (　　)

2) 잘 듣고 알맞은 단어를 골라 빈칸에 써 보세요. 🔊 10

자주	바지	하나	마리	거미
미래	머리	수저	모자	하마
주스	지하	저거	메모	주소

① 바지 → 지하 → 하마 → 마리

② → [　　] → [　　] → [　　]

③  → [　　] → [　　] → [　　]

II. 한글 연습

3) 다음을 읽고 써 보세요.

①	나라	나라	
②	아래	아래	
③	모두	모두	
④	어제	어제	
⑤	하루	하루	
⑥	세수	세수	
⑦	바다	바다	
⑧	제주도	제주도	
⑨	라디오	라디오	
⑩	드라마	드라마	
⑪	마시다	마시다	
⑫	배우다	배우다	

2. 한글 연습 2

1) 잘 듣고 맞는 것을 고르세요.　🔊 11

① **요리 (✓)　유리 (　　　)**　　② 의자 (　　)　여자 (　　　)

③ 화가 (　　)　휴가 (　　)　　　④ 기와 (　　)　가요 (　　　)

⑤ 도끼 (　　)　토끼 (　　)　　　⑥ 짜다 (　　)　자다 (　　　)

⑦ 그때 (　　)　그대 (　　)　　　⑧ 크다 (　　)　끄다 (　　　)

⑨ 사다 (　　)　싸다 (　　)　　　⑩ 부리 (　　)　뿌리 (　　　)

2) 잘 듣고 알맞은 단어를 골라 빈칸에 써 보세요.　🔊 12

과자	회의	(휴가)	이유	포도
차이	기자	(위치)	의사	자꾸
(치마)	여기	사과	(가위)	기차

① 휴가 → 가위 → 위치 → 치마

② 의사 → 　　　 → 　　　 → 　　　

③ 여기 → 　　　 → 　　　 →

II. 한글 연습

3) 빈칸에 알맞은 글자를 써 보세요.

① ㅉ + ㅏ = 짜

② ㅊ + ㅟ = ☐

③ ㅌ + ㅓ = ☐

④ ㅃ + ㅗ = ☐

⑤ ㅍ + ㅡ = ☐

⑥ ㄲ + ㅜ = ☐

4) 잘 듣고 맞는 발음에 √ 표시를 해 보세요. 🔊13

① 캐 (√) 개 (   )   ② 푸 (   ) 뿌 (   )

③ 처 (   ) 쩌 (   )   ④ 타 (   ) 따 (   )

⑤ 소 (   ) 쏘 (   )   ⑥ 크 (   ) 끄 (   )

5) 잘 듣고 글자를 완성해 보세요. 🔊14

① 추   ② ㅗ   ③ ㅣ

④ ㅓ   ⑤ ㅗ   ⑥ ㅏ

6) 받침을 써서 글자를 완성해 보세요.

① 유 + ㄱ → 육 ☐ ☐ ☐

② 바 + ㄲ → 밖 ☐ ☐ ☐

③ 누 + ㄴ → 눈 ☐ ☐ ☐

④ 마 + ㅅ → 맛 ☐ ☐ ☐

⑤ 나 + ㅈ → 낮 ☐ ☐ ☐

⑥ 비 + ㅊ → 빛 ☐ ☐ ☐

⑦ 벼 + ㄹ → 별 ☐ ☐ ☐

⑧ 고 + ㅁ → 곰 ☐ ☐ ☐

⑨ 지 + ㅂ → 집 ☐ ☐ ☐

⑩ 가 + ㅇ → 강 ☐ ☐ ☐

7) 다음을 읽고 써 보세요.

①	가요	가요	
②	메뉴	메뉴	
③	야구	야구	
④	시계	시계	
⑤	파티	파티	
⑥	취미	취미	
⑦	대화	대화	
⑧	이따가	이따가	
⑨	케이크	케이크	
⑩	티셔츠	티셔츠	
⑪	바꾸다	바꾸다	
⑫	예쁘다	예쁘다	

II. 한글 연습

3. 한글 연습 3

1) 잘 듣고 들은 순서대로 번호를 써 보세요.

① 파도		② 등산		③ 점심	
④ 의자		⑤ 학교		⑥ 교실	1
⑦ 공책		⑧ 찌개		⑨ 타조	

2) 한글의 다양한 글씨체예요. 글자를 써 보세요.

①	밥	밥	
②	희망	희망	
③	어린이	어린이	
④	대한민국	대한민국	
⑤	안녕하세요	안녕하세요	
⑥	감사합니다	감사합니다	
⑦	행복합니다	행복합니다	
⑧	사랑합니다	사랑합니다	

II. 한글 연습

3) 다음 단어를 찾으세요.

고양이	사과	책상	양말	과자	가족	냉장고
회사	운동화	기차	가방	공책	영화	자동차

냉	병	회	사	깨	가	족	코	공	책
장	경	공	과	자	방	한	중	낭	상
고	양	이	할	동	손	토	치	영	잘
어	말	빠	기	차	다	운	동	화	제

4) 잘 듣고 알맞은 단어를 찾아 써 보세요.

🔊 16

한복	서울	남산	태권도	경복궁

태극기	김치	불고기	한강

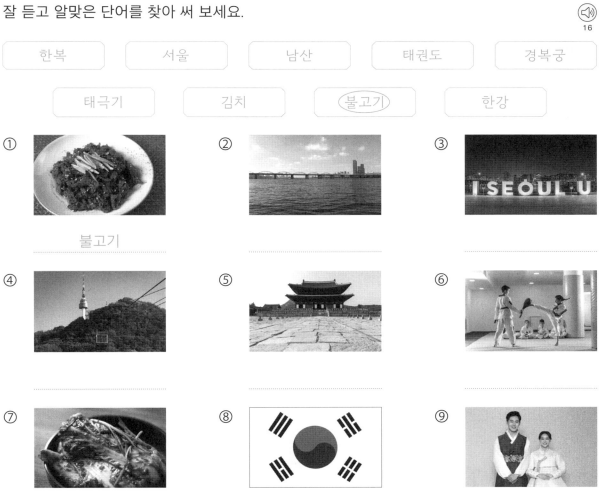

① 불고기

②

③

④

⑤

⑥

⑦

⑧

⑨

나라와 직업

1. 어느 나라 사람이에요? 직업이 뭐예요? 그림을 보고 써 보세요.

1)

.... 한국 .... 사람

.... 대학생 ....

2)

.... 사람

....

3)

.... 사람

....

4)

.... 사람

....

5)

.... 사람

....

6)

.... 사람

....

2. 알맞은 것을 골라 대화를 완성해 보세요.

중국   케냐   러시아

의사   회사원

어느 나라 사람이에요?

저는 케냐 사람이에요.

1)

가: 어느 나라 사람이에요?

나: 저는 .... 사람이에요.

2)

가: 한국 사람이에요?

나: 아니요. 저는 .... 사람이에요.

3)

가: 학생이에요?

나: 아니요. 저는 .... 이에요.

4)

가: 직업이 뭐예요?

나: 저는 .... 예요.

이에요 / 예요

---

1. 빈칸을 채워 보세요.

명사	이에요	명사	예요
물	물이에요	사과	사과예요
책상		의자	
선생님		요리사	
회사원		안나 씨	

---

2. 다음과 같이 알맞은 것을 고르세요.

저는 유진(이에요 / 예요).

1) 선생님(이에요 / 예요).

2) 제 친구(이에요 / 예요).

3) 모자(이에요 / 예요).

4) 한국 사람(이에요 / 예요).

---

3. 알맞은 것을 골라 써 보세요.

물   친구   우유   한복   선생님

김치   가수   책상   안나 씨   대학생

누구예요?

· 친구예요.

· ....

· ....

· ....

· ....

뭐예요?

· 물이에요.

· ....

· ....

· ....

· ....

은 / 는

1. 빈칸을 채워 보세요.

명사	은	명사	는
가방	가방은	저	저는
동생		모자	
서울		친구	
이 사람		주노 씨	

2. 다음과 같이 알맞은 것을 고르세요.

웨이 씨는 요리사예요.

1) 저 ⋯⋯⋯⋯⋯⋯⋯ 대학생이에요.

2) 제 동생 ⋯⋯⋯⋯⋯⋯⋯ 의사예요.

3) 유진 씨 ⋯⋯⋯⋯⋯⋯⋯ 제 친구예요.

4) 이 사람 ⋯⋯⋯⋯⋯⋯⋯ 경찰이에요.

3. 다음과 같이 문장을 완성해 보세요.

| 저 | 의사 |

저는 의사예요.

1) 주노 씨   회사원 → ⋯⋯⋯⋯⋯⋯⋯⋯⋯⋯⋯⋯ .

2) 제 이름   마리 → ⋯⋯⋯⋯⋯⋯⋯⋯⋯⋯⋯⋯ .

3) 제 친구   요리사 → ⋯⋯⋯⋯⋯⋯⋯⋯⋯⋯⋯⋯ .

4) 제 동생   학생 → ⋯⋯⋯⋯⋯⋯⋯⋯⋯⋯⋯⋯ .

5) 이 사람   가수 → ⋯⋯⋯⋯⋯⋯⋯⋯⋯⋯⋯⋯ .

6) 선생님   한국 사람 → ⋯⋯⋯⋯⋯⋯⋯⋯⋯⋯⋯⋯ .

인사와 소개

---

1. 소개를 해요. 잘 듣고 맞는 것을 찾아 번호를 써 보세요. 🔊 01

1) [   ]   2) [   ]   3) [   ]

①   ②   ③

---

2. 다음을 잘 듣고 질문에 답해 보세요. 🔊 02

1) 마리 씨와 진우 씨의 직업이 뭐예요?

① 마리 •   •

② 진우 •   •

2) 마리 씨는 어느 나라 사람이에요?

[ ][ ] 사람이에요.

---

3. 다시 듣고 대화를 완성해 보세요. 🔊 03

안나: 안녕하세요? 저는 진우예요. _____ 사람이에요.

마리: 안녕하세요? 제 _____ 마리예요. _____ 사람이에요.

        진우 씨는 학생이에요?

진우: 아니요. 저는 _____. 마리 씨는요?

마리: 저는 _____.

---

4. 대화를 다시 듣고 따라 해 보세요. 🔊 04

5. 잘 듣고 맞는 발음에 √ 표시를 해 보세요. 🔊 05

1) 자 (   ) 저 (   )

2) 머리 (   ) 무리 (   )

3) 일번 (   ) 일본 (   )

소개 1

1. 다음을 잘 읽고 질문에 답하세요.

저는 박재민이에요.
한국 사람이에요.
저는 회사원이에요.

이 사람은 제 동생이에요.
이름은 박지은이에요.
제 동생은 한국어 선생님이에요.

1) 재민 씨는 어느 나라 사람이에요?

① 　　② 　　③

2) 지은 씨의 직업이 뭐예요?

이에요.

3) 읽은 내용과 같으면 ○, 다르면 × 표시를 해 보세요.

① 재민 씨는 대학생이에요. 　　(　　)
② 지은 씨는 재민 씨 동생이에요. 　　(　　)

소개 2

1. 다음 문장을 보고 따라 써 보세요.

1)

안	녕	하	세	요	?								
안	녕	하	세	요	?								

2)

저	는		주	노	예	요	.						
저	는		주	노	예	요	.						

3)

저	는		회	사	원	이	에	요	.				
저	는		회	사	원	이	에	요	.				

2. 그림을 보고 다음 표현을 사용하여 글을 완성해 보세요.

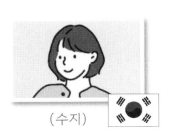

(마리)

이 사람은 제 친구예요. .... (이름) 마리예요.

마리 씨는 .... (일본 사람이다)

마리 씨는 .... (회사원이다)

3. 알맞은 표현을 골라 글을 완성해 보세요.

대학생이다	제 친구이다	한국 사람이다

(수지)

이 사람은 ....

이름은 수지예요. 수지 씨는 ....

수지 씨는 ....

한자어 수

1. 다음 숫자를 읽고 써 보세요.

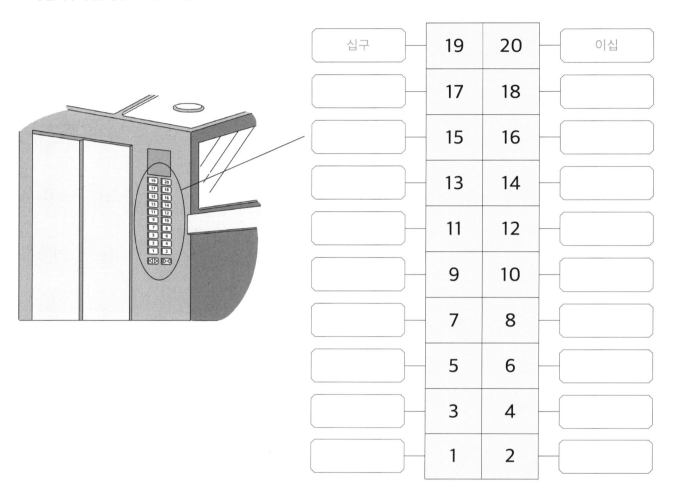

십구	19	20	이십
	17	18	
	15	16	
	13	14	
	11	12	
	9	10	
	7	8	
	5	6	
	3	4	
	1	2	

2. 다음을 읽고 숫자를 써 보세요.

1) 이십오 →

2) 십이 →

3) 삼십구 →

4) 구십삼 →

5) 오십팔 →

6) 육십칠 →

7) 백삼십 →

8) 칠백오십 →

이 / 가

1. 빈칸을 채워 보세요.

명사	이	명사	가
가방	가방이	카페	카페가
동생		요리사	
이름		안나 씨	
선생님		전화번호	

2. 다음과 같이 알맞은 것을 써 보세요.

전화번호가 뭐예요?

1) 이름 _____ 뭐예요?

2) 주노 씨 _____ 누구예요?

3) 3층 _____ 식당이에요.

4) 제 _____ 수지예요.

3. 다음과 같이 문장을 완성해 보세요.

| 여기 | 교실 | → | 여기가 교실이에요. |

1) 여기 | 세종학당 → _____.

2) 5층 | 영화관 → _____.

3) 웨이 씨 | 요리사 → _____.

4) 이 사람 | 안나 씨 → _____.

5) 수지 씨 | 제 친구 → _____.

6) 저 사람 | 주노 씨 형 → _____.

이 / 가 아니에요

1. 빈칸을 채워 보세요.

명사	이 아니에요	명사	가 아니에요
물	물이 아니에요	구두	구두가 아니에요
식당		의자	
학생		친구	
한국 사람		옷 가게	

2. 그림을 보고 문장을 완성해 보세요.

수지 씨가 아니에요.
안나 씨예요.

1)  책상 .... 의자예요.

2)  가수 .... 경찰이에요.

3) 비빔밥 .... 불고기예요.

4) 여자 .... 남자예요.

3. 다음과 같이 대화를 완성해 보세요.

동생이에요?

아니요.
동생이 아니에요.
형이에요.

(형)

1) 가 : 주노 씨는 학생이에요?
　 나 : 아니요. .... (회사원)

2) 가 : 옷이에요?
　 나 : 아니요. .... (모자)

3) 가 : 남자 친구예요?
　 나 : 아니요. .... (오빠)

4) 가 : 여기가 교실이에요?
　 나 : 아니요. .... (식당)

전화번호

---

1. 잘 듣고 숫자를 써 보세요. 🔊 01

1) [　　　　　]　　　2) [　　　　　]　　　3) [　　　　　]

4) [　　　　　]　　　5) [　　　　　]　　　6) [　　　　　]

---

2. 다음을 잘 듣고 질문에 답해 보세요. 🔊 02

1) 유진 씨는 누구의 전화번호를 알고 싶어요?

① 마리　　　　② 친구　　　　③ 김수미 선생님

2) 그 사람의 전화번호가 뭐예요?

[　][　][　] – [　][　][　][　] – [　][　][　][　] 이에요.

---

3. 다시 듣고 대화를 완성해 보세요. 🔊 03

유진 : 마리 씨, 김수미 .... 전화번호가 뭐예요?

마리 : 네, 유진 씨. .... 전화번호는 ....

유진 : 010-1428-3497, 맞아요?

마리 : .... 3397이에요.

---

4. 대화를 다시 듣고 따라 해 보세요. 🔊 04

5. 잘 듣고 바르게 발음한 것에 √ 표시를 해 보세요. 🔊 05

1) 맞아요　　　가 (　　) 나 (　　)

2) 알아요　　　가 (　　) 나 (　　)

3) 회사원이에요　가 (　　) 나 (　　)

친구 전화번호 1

1. 다음을 잘 읽고 질문에 답하세요.

웨이 씨는 제 친구예요. 남자예요.

웨이 씨는 학생이 아니에요. 요리사예요.

웨이 씨 전화번호는 공일공 일사오칠 구이일오예요.

1) 웨이 씨의 직업이 뭐예요?

①    ②    ③

2) 웨이 씨 전화번호는 뭐예요?

① 010-1356-9225   ② 010-1356-9215

③ 010-1457-9125   ④ 010-1457-9215

3) 읽은 내용과 같으면 ○, 다르면 × 표시를 해 보세요.

① 웨이 씨는 여자가 아니에요.   (   )

② 웨이 씨는 이 사람 동생이에요.   (   )

친구 전화번호 2

1. 다음 문장을 보고 따라 써 보세요.

1)

우	리		선	생	님	은		남	자	예	요	.	
우	리		선	생	님	은		남	자	예	요	.	

2)

선	생	님	은		중	국		사	람	이		아	니
에	요	.											
선	생	님	은		중	국		사	람	이		아	니
에	요	.											

3)

한	국		사	람	이	에	요	.					
한	국		사	람	이	에	요	.					

2. 그림을 보고 다음 표현을 사용하여 글을 완성해 보세요.

이름:김진우
전화번호:
010-1788-3065

진우 씨는 한국 사람이에요. 진우 씨는

_____. (학생, 아니다)

_____. (경찰이다)

진우 씨 전화번호는

_____. (010-1788-3065이다)

3. 알맞은 표현을 골라 글을 완성해 보세요.

일본 사람이다	학생, 아니다	회사원이다	010-1214-7406이다

마리 씨는 _____. 마리 씨는 _____.

_____.

마리 씨 전화번호는 _____.

물건

1. 교실에 무엇이 있어요? 그림을 보고 써 보세요.

1) 시계

2) _____

3) _____

4) _____

5) _____

6) _____

2. 알맞은 것을 골라 대화를 완성해 보세요.

뒤	아래	안	옆	위

은행이 어디에 있어요?

카페 옆에 있어요.

1) 가: 우유가 어디에 있어요?

나: 주스 _____ 에 있어요.

2) 가: 모자가 어디에 있어요?

나: 침대 _____ 에 있어요.

3) 가: 수지 씨는 어디에 있어요?

나: 영화관 _____ 에 있어요.

4) 가: 주노 씨는 어디에 있어요?

나: 마리 씨 _____ 에 있어요.

이, 그, 저

---

1. 다음 중 알맞은 것을 고르세요.

(이 / 그) 책은
누구 책이에요?

제 책이에요.

1)

가 : (이 / 저) 사람은 누구예요?
나 : 제 형이에요.

2)
(재민)

가 : (그 / 저) 사람은 누구예요?
나 : 재민 씨예요.

3)

가 : (이 / 그) 우산은 누구 우산이에요?
나 : 제 우산이에요.

4)
유진 씨 펜

가 : (이 / 저) 펜은 누구 펜이에요?
나 : 유진 씨 펜이에요.

---

2. 그림을 보고 대화를 완성해 보세요.

(안나) (유진)

유진 씨, 이 핸드폰은
누구 핸드폰이에요?

마리 씨 핸드폰이에요.

1) 안나 : 유진 씨, _____ 은 누구 책이에요?
   유진 : 제 책이에요.

2) 안나 : 유진 씨, _____ 은 누구 가방이에요?
   유진 : 수지 씨 가방이에요.

3) 유진 : 안나 씨, _____ 는 누구 모자예요?
   안나 : 주노 씨 모자예요.

4) 유진 : 안나 씨, _____ 은 누구 필통이에요?
   안나 : 재민 씨 필통이에요.

에 있다, 없다

---

1. 그림을 보고 대화를 완성해 보세요.

주노 씨가 은행에 있어요?

아니요. 은행에 없어요.
식당에 있어요.

1) 가: 재민 씨가 카페에 있어요?

　　나: 아니요. ＿＿＿＿＿＿＿. ＿＿＿＿＿＿＿.

2) 가: 수지 씨가 옷 가게에 있어요?

　　나: 아니요. ＿＿＿＿＿＿＿. ＿＿＿＿＿＿＿.

3) 가: 안나 씨가 영화관에 있어요?

　　나: 아니요. ＿＿＿＿＿＿＿. ＿＿＿＿＿＿＿.

4) 가: 유진 씨가 식당에 있어요?

　　나: 아니요. ＿＿＿＿＿＿＿. ＿＿＿＿＿＿＿.

---

2. 그림을 보고 대화를 완성해 보세요.

신발이 어디에 있어요?

신발이 의자 아래에 있어요.

1)

가: 시계가 어디에 있어요?

나: 시계가 ＿＿＿＿＿＿＿.

2)

가: 핸드폰이 어디에 있어요?

나: 핸드폰이 ＿＿＿＿＿＿＿.

3)

가: 재민 씨가 집 밖에 있어요?

나: 네. 재민 씨가 ＿＿＿＿＿＿＿.

4)

가: 안나 씨가 세종학당 앞에 있어요?

나: 아니요. 안나 씨가 ＿＿＿＿＿＿＿.

안나 씨의 우산

1. 누구 가방이에요? 잘 듣고 맞는 것을 찾아 번호를 써 보세요.

1) [   ]

①

2) [   ]

②

3) [   ]

③

---

2. 다음을 잘 듣고 질문에 답해 보세요.

1) 마리 씨 우산은 어디에 있어요?

[   ][   ][   ] 에 있어요.

2) 이것은 누구 우산이에요?

①   ②   ③

마리   안나   주노

---

3. 다시 듣고 대화를 완성해 보세요.

주노 : .... 마리 씨 우산이에요?

마리 : 아니요. 제 우산은 ....

주노 : 그럼 .... 우산이에요?

마리 : 안나 씨 ....

---

4. 대화를 다시 듣고 따라 해 보세요.

5. 잘 듣고 바르게 발음한 것에 √ 표시를 해 보세요.

1) 밑에   가 (   ) 나 (   )

2) 있어요   가 (   ) 나 (   )

3) 우산이에요   가 (   ) 나 (   )

우리 교실

1. 다음을 잘 읽고 질문에 답하세요.

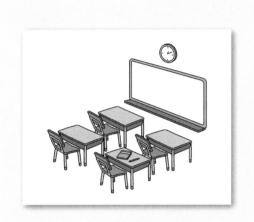

여기는 교실이에요. 교실에 칠판이 있어요. 칠판 위에 시계가 있어요. 유진 씨 책상은 안나 씨 책상 뒤에 있어요. 유진 씨 책상 위에 책, 펜이 있어요. 필통은 없어요.

1) 유진 씨 책상이 어디에 있어요?

① 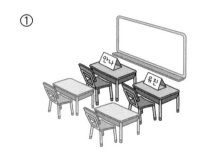   ② 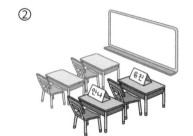   ③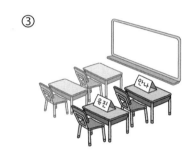

2) 시계가 어디에 있어요?

☐☐☐ 에 있어요.

3) 읽은 내용과 같으면 ○, 다르면 ✕ 표시를 해 보세요.

① 유진 씨 책은 책상 위에 있어요.   (   )
② 유진 씨 책상 위에 펜이 없어요.   (   )

내 책상

1. 다음 문장을 보고 따라 써 보세요.

1)

이		책	은		안	나		씨		책	이	에	요	.
이		책	은		안	나		씨		책	이	에	요	.

2)

교	실	에		책	이		있	어	요	.
교	실	에		책	이		있	어	요	.

3)

제		책	은		책	상		위	에		있	어	요	.
제		책	은		책	상		위	에		있	어	요	.

2. 그림을 보고 다음 표현을 사용하여 글을 완성해 보세요.

여기는 _____. (회사이다)

_____ (이 책상) 제 책상이에요.

_____ (제 책상 위) 컴퓨터가 있어요.

컴퓨터 옆에 _____. (사진, 있다)

3. 알맞은 표현을 골라 글을 완성해 보세요.

이 책상	교실이다	필통, 있다	제 책상 위

여기는 _____ . _____ 제 책상이에요.

_____ 책이 있어요. 책 옆에 _____ .

기본 동사

1. 무엇을 해요? 그림을 보고 써 보세요.

1)

먹어요 .

2)

.

3)

.

4)

.

5)

.

6)

.

7)

.

8)

.

---

2. 그림을 보고 알맞은 것을 골라 문장을 완성해 보세요.

(봐요)   읽어요   마셔요

들어요   사요

영화 봐요.

1) 물 .

2)  가방 .

3)  음악 .

4)  책 .

1. 빈칸을 채워 보세요.

동사	-아요	동사	-어요	동사	-해요
보다	봐요	먹다	먹어요	일하다	일해요
사다		읽다		공부하다	
자다		마시다		요리하다	
만나다		★듣다	들어요	좋아하다	

'★(별표)'는 불규칙활용을 하는 단어입니다.

2. 그림을 보고 문장을 완성해 보세요.

아기가 자요.

1) 수지 씨가 텔레비전 _____.

2) 주노 씨가 _____.

3) 불고기 _____.

4) 안나 씨가 친구 _____.

3. 그림을 보고 대화를 완성해 보세요.

안나 씨가 사과 먹어요?

네. 안나 씨가 사과 먹어요.

1)
가: 주노 씨가 책 읽어요?
나: 네. _____.

2)
가: 마리 씨가 음악 들어요?
나: 아니요. _____.

3)
가: 재민 씨가 일해요?
나: 네. _____.

4)
가: 수지 씨가 요리해요?
나: 아니요. _____.

을 / 를

1. 빈칸을 채워 보세요.

명사	을	명사	를
밥	밥을	사과	사과를
책		영화	
음악		친구	
학생		커피	

2. 다음과 같이 문장을 완성해 보세요.

| 동생 | 신발 | 사다 | → | 동생이 신발을 사요. |

1) | 아이 | 우유 | 마시다 | → _____.

2) | 형 | 강아지 | 좋아하다 | → _____.

3) | 유진 씨 | 한국 음식 | 먹다 | → _____.

4) | 선생님 | 책 | 읽다 | → _____.

3. 그림을 보고 대화를 완성해 보세요.

무엇을 좋아해요?

강아지를 좋아해요.

1) 가: 무엇을 사요?
　　나: 저는 _____ 사요.

2) 가: 무엇을 그려요?
　　나: _____ 그려요.

3) 가: 무엇을 마셔요?
　　나: 저는 _____ 마셔요.

4) 가: 무엇을 배워요?
　　나: _____ 배워요.

안나 씨와 재민 씨가 하는 일

1. 이 사람들이 무엇을 해요? 잘 듣고 맞는 것을 찾아 번호를 써 보세요. 🔊 01

1) [　　　]
2) [　　　]
3) [　　　]

①
②
③

2. 다음을 잘 듣고 질문에 답해 보세요. 🔊 02

1) 안나 씨는 무엇을 좋아해요?

[　][　] 을/를 좋아해요.

2) 재민 씨는 오늘 무엇을 해요?

①
②
③

3. 다시 듣고 대화를 완성해 보세요. 🔊 03

재민: 안나 씨, ＿＿＿＿＿＿＿＿＿＿＿＿＿＿＿＿＿＿＿＿＿＿＿＿ ?

안나: 저는 오늘 ＿＿＿＿＿＿＿＿＿＿＿＿＿＿＿＿＿＿＿＿＿＿ .

재민: ＿＿＿＿＿＿＿＿＿＿＿＿＿＿＿＿＿＿＿＿＿ 좋아해요?

안나: 네. 좋아해요. 재민 씨는 ＿＿＿＿＿＿＿＿＿＿＿＿＿＿ ?

재민: 저는 오늘 ＿＿＿＿＿＿＿＿＿＿＿＿＿＿＿＿＿＿＿＿＿ .

4. 대화를 다시 듣고 따라 해 보세요. 🔊 04

5. 잘 듣고 알맞은 문장에 √ 표시를 해 보세요. 🔊 05

1) 한국어를 공부해요.   (　　)
   한국어를 공부해요?   (　　)
2) 안나 씨가 구두를 사요.   (　　)
   안나 씨가 구두를 사요?   (　　)
3) 동생은 운동을 좋아해요.   (　　)
   동생은 운동을 좋아해요?   (　　)

안나 씨와 동생이 좋아하는 일

1. 다음을 잘 읽고 질문에 답하세요.

안나 씨 집이에요. 안나 씨는 책을 읽어요. 안나 씨는 책을 좋아해요. 안나 씨 동생은 게임을 해요. 동생은 게임을 좋아해요.

1) 안나 씨는 무엇을 해요?

    □ 을/를 □ □ □ .

2) 안나 씨 동생은 무엇을 좋아해요?

①    ②    ③

3) 읽은 내용과 같으면 ○, 다르면 × 표시를 해 보세요.

   ① 안나 씨는 집에 있어요.   (   )

   ② 안나 씨 동생은 책을 읽어요.   (   )

카페에서 하는 일

1. 다음 문장을 보고 따라 써 보세요.

1)

아	이	가		꽃	을		그	려	요	.			
아	이	가		꽃	을		그	려	요	.			

2)

친	구	가		음	악	을		들	어	요	.		
친	구	가		음	악	을		들	어	요	.		

3)

오	늘		친	구	를		만	나	요	.			
오	늘		친	구	를		만	나	요	.			

2. 그림을 보고 다음 표현을 사용하여 글을 완성해 보세요.

카페예요. 재민 씨는 1) _____ .
(커피, 마시다)

유진 씨는 2) _____ .
(빵, 먹다)

수지 씨는 3) _____ .
(책, 읽다)

안나 씨는 4) _____ .
(한국어, 공부하다)

3. 그림을 보고 알맞은 표현을 골라 글을 완성해 보세요.

음악, 듣다	책, 읽다	핸드폰, 보다	커피, 마시다

세종학당 교실이에요. 안나 씨는 _____ .

유진 씨는 _____ .

주노 씨는 _____ .

마리 씨는 _____ .

1. 여기가 어디예요? 그림을 보고 써 보세요.

1)

학교

2)

3)

4)

5)

6)

---

2. 그림을 보고 대화를 완성해 보세요.

안나 씨, 어디에 가요?

식당에 가요. 불고기를 먹어요.

1)

가: 수지 씨, 어디에 가요?

나: 마트에 가요. _____를 사요.

2)

가: 재민 씨, 집에 _____이 있어요?

나: 네. 있어요.

3)

가: 마리 씨는 _____을 좋아해요?

나: 네. 아주 좋아해요.

4)

가: 주노 씨, 어디예요?

나: 저는 카페에 있어요. _____를 마셔요.

에 가다

---

1. 다음과 같이 문장을 완성해 보세요.

| 유진 씨 | 식당 | → | 유진 씨가 식당에 가요. |

1) 안나 씨 | 학교 | → ....

2) 주노 씨 | 공원 | → ....

3) 마리 씨 | 회사 | → ....

4) 동생 | 마트 | → ....

5) 친구 | 카페 | → ....

6) 형 | 백화점 | → ....

---

2. 그림을 보고 대화를 완성해 보세요.

어디에 가요?

영화관에 가요.

1)

가: 어디에 가요?

나: ....

2)

가: 지금 어디에 가요?

나: ....

3)

가: 집에 가요?

나: 네. ....

4)

가: 수지 씨, ... ?

나: 마트에 가요.

하고

1. 다음과 같이 문장을 완성해 보세요.

| 책상 | 의자 | → | 교실에 책상하고 의자가 있어요. |

1) | 책 | 필통 | → 가방에 .... 있어요.

2) | 영화관 | 식당 | → 오늘 .... 가요.

3) | 주노 씨 | 마리 씨 | → 저는 .... 만나요.

4) | 빵 | 우유 | → .... 먹어요.

5) | 커피 | 주스 | → .... 마셔요.

6) | 한국어 | 중국어 | → .... 공부해요.

2. 그림을 보고 대화를 완성해 보세요.

(안나) (유진)

교실에 누가 있어요?

안나 씨하고 유진 씨가 있어요.

1)

가: 방에 뭐가 있어요?

나: ....

2)

(재민) (마리)

가: 오늘 누구를 만나요?

나: ....

3)

가: 과일을 좋아해요?

나: 네. ....

4)

가: 우유를 사요?

나: 아니요. ....

마트

1. 무엇을 사요? 잘 듣고 맞는 것을 찾아 번호를 써 보세요.

1) [ ]   2) [ ]   3) [ ]

①    ②    ③

---

2. 다음을 잘 듣고 질문에 답해 보세요.

1) 재민 씨는 어디에 가요?

①    ②    ③

2) 안나 씨는 무엇을 사요?

[ ] 하고

[ ] [ ] 을 사요.

---

3. 다시 듣고 대화를 완성해 보세요.

안나: 재민 씨, ＿＿＿＿＿＿＿＿＿＿＿＿＿＿＿＿＿＿＿＿＿?

재민: 집에 우유가 없어요. 그래서 ＿＿＿＿＿＿＿＿＿＿＿＿＿＿＿.

안나: 그래요? 저는 편의점에 가요.

재민: 안나 씨는 ＿＿＿＿＿＿＿＿＿＿＿＿＿＿＿＿＿＿?

안나: 저는 ＿＿＿＿＿＿＿＿＿＿＿＿＿＿＿＿＿ 사요.

---

4. 대화를 다시 듣고 따라 해 보세요.

5. 잘 듣고 바르게 발음한 것에 √ 표시를 해 보세요.

1) 과자   가 ( )   나 ( )
2) 뭘   가 ( )   나 ( )
3) 라면   가 ( )   나 ( )

나의 하루

1. 다음을 잘 읽고 질문에 답하세요.

저는 오늘 친구를 만나요. 같이 영화관에 가요. 한국 영화를 봐요. 그리고 백화점에 가요. 옷하고 구두를 사요.

1) 이 사람은 어디에 가요? <u>모두</u> 고르세요.

   ①    ②    ③

2) 이 사람은 누구를 만나요?

 을/를 만나요.

3) 읽은 내용과 같으면 ○, 다르면 × 표시를 해 보세요.

   ① 이 사람은 오늘 영화를 봐요.   (   )
   ② 이 사람은 옷하고 구두를 사요.   (   )

수지 씨와 주노 씨의 쇼핑

1. 다음 문장을 보고 따라 써 보세요.

1)

저	는		학	교	에		가	요	.				
저	는		학	교	에		가	요	.				

2)

가	방	하	고		구	두	를		사	요	.		
가	방	하	고		구	두	를		사	요	.		

3)

빵	하	고		우	유	를		먹	어	요	.		
빵	하	고		우	유	를		먹	어	요	.		

2. 그림을 보고 다음 표현을 사용하여 글을 완성해 보세요.

오늘 수지 씨는 .... (주노 씨, 만나다)

같이 .... (백화점, 가다)

수지 씨는 .... (옷, 신발, 사다)

주노 씨는 모자하고 .... (안경, 사다)

3. 알맞은 표현을 골라 글을 완성해 보세요.

| 마트, 가다 | 유진 씨, 만나다 | 사과, 포도, 사다 | 빵, 우유, 사다 |

오늘 안나 씨는 .... 같이 ....

안나 씨는 과일을 좋아해요. 그래서 ....

유진 씨는 ....

1. 사탕이 몇 개예요? 그림을 보고 알맞은 숫자를 써 보세요.

1)
<u>한</u> 개

2)
_____ 개

3)
_____ 개

4)
_____ 개

5)
_____ 개

6)
_____ 개

7)
_____ 개

8)
_____ 개

9)
_____ 개

10)
_____ 개

11)
_____ 개

12)
_____ 개

......

13)
_____ 개

2. 그림을 보고 대화를 완성해 보세요.

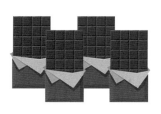

초콜릿이 몇 개 있어요?

초콜릿이 네 개 있어요.

1)
가: 빵이 몇 개 있어요?
나: 빵이 _____ 개 있어요.

2)
가: 우유를 몇 개 사요?
나: 우유를 _____ 개 사요.

3)
가: 과자가 여섯 개 있어요?
나: 아니요. 과자가 _____ 개 있어요.

4)
가: 아이스크림을 세 개 사요?
나: 아니요. 아이스크림을 _____ 개 사요.

단위 명사

1. 그림을 보고 문장을 완성해 보세요.

> 교실에 학생이 세 명 있어요.

1) 남자가 한 _____ 있어요.

2) 책상이 다섯 _____ 있어요.

3) 의자가 여섯 _____ 있어요.

4) 책이 네 _____ 있어요.

5) 물이 두 _____ 있어요.

6) 우산이 세 _____ 있어요.

2. 알맞은 것을 골라 대화를 완성해 보세요.

| 개 | 권 | 명 | 마리 | 장 |

1) 가 : 고양이가 몇 _____ 있어요?

　 나 : _____. (1)

> 펜이 몇 개 있어요?

> 펜이 일곱 개 있어요.
>
> (7)

2) 가 : 한국 친구가 몇 _____ 있어요?

　 나 : _____. (2)

3) 가 : 공책을 몇 _____ 사요?

　 나 : _____. (6)

4) 가 : 영화표를 몇 _____ 사요?

　 나 : _____. (9)

–(으)세요

---

1. 빈칸을 채워 보세요.

동사	-으세요	동사	-세요
앉다	앉으세요	가다	가세요
읽다		보다	
★듣다	들으세요	대답하다	

---

2. 그림을 보고 써 보세요.

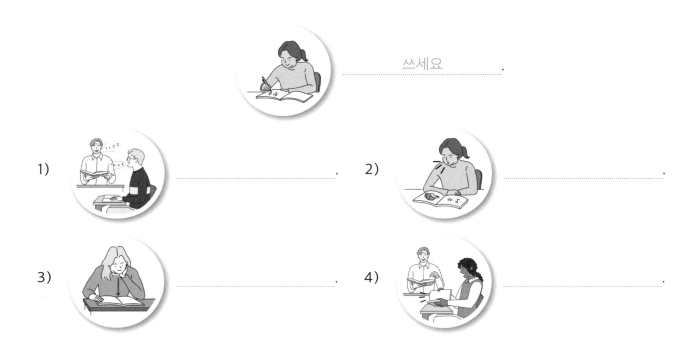

쓰세요 .

1) _____ .

2) _____ .

3) _____ .

4) _____ .

---

3. 알맞은 것을 골라 대화를 완성해 보세요.

| 앉다 | 주다 | 가다 | 듣다 | 타다 |

빵하고 우유를 주세요.

1) 저 버스를 _____ .

2) 내일 만나요. 안녕히 _____ .

3) 여기 의자가 있어요. _____ .

4) 질문을 잘 _____ . 그리고 대답하세요.

가게

1. 물건을 사요. 잘 듣고 맞는 것을 찾아 번호를 써 보세요.

1) [   ]　　　　2) [   ]　　　　3) [   ]

① 　　　　② 　　　　③

2. 다음을 잘 듣고 질문에 답해 보세요.

1) 안나 씨는 무엇을 사요?

① 　　② 　　③

2) 모두 얼마예요?

[   ] [   ] [   ] 이에요.

3. 다시 듣고 대화를 완성해 보세요.

주인 : 손님, 어서 오세요.

안나 : 이 .... 얼마예요?

주인 : 천 원이에요.

안나 : 그럼 .... 주세요.

주인 : 네. ....

4. 대화를 다시 듣고 따라 해 보세요.

5. 잘 듣고 다음과 같이 알맞은 끝소리에 √ 표시를 해 보세요.

1) 밖　　① [ㄱ] (√)　② [ㄷ] (   )
2) 여섯　① [ㄷ] (   )　② [ㅂ] (   )
3) 앞　　① [ㄱ] (   )　② [ㅂ] (   )
4) 부엌　① [ㄱ] (   )　② [ㅂ] (   )

과일 가게

1. 다음을 잘 읽고 질문에 답하세요.

저는 과일 가게에 가요. 사과 다섯 개를 사요. 그리고 바나나하고 포도를 사요. 모두 만 사천오백 원이에요.

1) 이 사람은 어디에 가요?

에 가요.

2) 이 사람은 무엇을 사요? <u>모두</u> 고르세요.

①   ②   ③   ④

3) 읽은 내용과 같으면 ○, 다르면 × 표시를 해 보세요.

① 이 사람은 사과 6개를 사요.   (   )

② 과일은 모두 13,500원이에요.   (   )

마트

1. 다음 문장을 보고 따라 써 보세요.

1)

저	는		가	게	에		가	요	.				
저	는		가	게	에		가	요	.				

2)

사	과		다	섯		개	를		사	요	.		
사	과		다	섯		개	를		사	요	.		

3)

모	두		칠	천	오	백		원	이	에	요	.	
모	두		칠	천	오	백		원	이	에	요	.	

2. 그림을 보고 다음 표현을 사용하여 글을 완성해 보세요.

저는 편의점에 가요. 물 한 .... (병) 사요.

.... (과자 3개) 라면 두 개를 사요.

모두 .... (12,800원이다)

3. 그림을 보고 알맞은 표현을 골라 글을 완성해 보세요.

| 2병 | 마트 | 계란, 10개 | 16,500원이다 |

저는 .... 가요.

주스 .... 사요.

모두 ....

날짜와 요일

1. 다음을 읽고 한글로 써 보세요.

1) 1월 ....

2) 2월 ....

3) 3월 ....

4) 4월 ....

5) 5월 ....

6) 6월 ....

7) 7월 ....

8) 8월 ....

9) 9월 ....

10) 10월 ....

11) 11월 ....

12) 12월 ....

2. 그림을 보고 문장을 완성해 보세요.

8월

일	월	화	수	목	금	토
	1	2	3	4	5	6
			마리 생일			
7	8	9	10	11	12	13
여행					회의	
14	15	16	17	18	19	20
		영화		점심 식사 (재민)		

언제 여행을 가요?

팔월 칠일 일요일에 가요.

1) 마리 씨 생일이 언제예요? ....이에요.

2) 언제 영화를 봐요? ....에 봐요.

3) 언제 회의를 해요? ....에 해요.

4) 언제 재민 씨하고 점심을 먹어요? ....에 먹어요.

에

1. 빈칸을 채워 보세요.

9월

일	월	화	수	목	금	토
					1	2
3	4	5	6	7	8	9
10	11	12	13	14	15	16
17	18	19	20	21	22	23
24	25	26	27	28	29	30

언제 한국에 가요?

구월 십이일에 가요.

1)

1월

일	월	화	수	목	금	토
1	2	3	4	5	6	7
8	9	10	11	12	13	14
15	16	17	18	19	20	21
22	23	24	25	26	27	28
29	30	31				

가: 언제 주노 씨를 만나요?

나: ________________ 만나요.

2)

6월

일	월	화	수	목	금	토
				1	2	3
4	5	6	7	8	9	10
11	12	13	14	15	16	17
18	19	20	21	22	23	24
25	26	27	28	29	30	

가: 며칠에 생일 파티를 해요?

나: ________________ 해요.

3)

7월

일	월	화	수	목	금	토
		1	2	3	4	5
6	7	8	9	10	11	12
13	14	15	16	17	18	19
20	21	22	23	24	25	26
27	28	29	30	31		

가: 언제 아르바이트를 해요?

나: ________________ 해요.

4)

11월

일	월	화	수	목	금	토
			1	2	3	4
5	6	7	8	9	10	11
12	13	14	15	16	17	18
19	20	21	22	23	24	25
26	27	28	29	30		

가: 수요일에 한국어 수업이 있어요?

나: 아니요. ________________

있어요.

2. 그림을 보고 대화를 완성해 보세요.

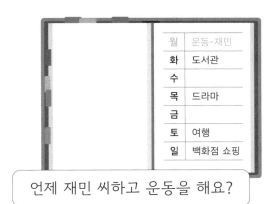

월	운동-재민
화	도서관
수	
목	드라마
금	
토	여행
일	백화점 쇼핑

언제 재민 씨하고 운동을 해요?

월요일에 해요.

1) 가: 언제 드라마를 봐요?

나: ________________.

2) 가: 언제 백화점에서 쇼핑을 해요?

나: ________________.

3) 가: 수요일에 도서관에 가요?

나: 아니요. ________________.

4) 가: 금요일에 여행을 가요?

나: 아니요. ________________.

○ 시 ○ 분

1. 지금 몇 시예요? 그림을 보고 문장을 완성해 보세요.

07:00

일곱 시예요.

1) 01:00 ....

2) 06:00 ....

3) 11:30 ....

4) 05:10 ....

5) 08:25 ....

6) 02:40 ....

2. 그림을 보고 다음과 같이 대화를 완성해 보세요.

오전	8:00 ~ 9:00	수영
	10:00 ~ 11:00	도서관
오후	12:00 ~ 1:00	점심
	2:00 ~ 6:00	아르바이트
	7:00 ~ 9:00	한국어 수업
	10:00 ~ 11:00	게임

언제 수영해요?

여덟 시에 해요.

1) 가 : 언제 도서관에 가요?
   나 : .... 가요.

2) 가 : 언제 아르바이트를 해요?
   나 : .... 해요.

3) 가 : 몇 시에 한국어 수업이 있어요?
   나 : .... 있어요.

4) 가 : 몇 시에 게임을 해요?
   나 : 저는 .... 해요.

안나 씨의 하루

1. 언제 해요? 잘 듣고 맞는 것을 찾아 번호를 써 보세요.
01

1) [ ] 2) [ ] 3) [ ]

① 10월

일	월	화	수	목	금	토
1	2	3	4	5	6	⑦
8	9	10	11	12	13	14
15	16	17	18	19	20	21
22	23	24	25	26	27	28
29	30	31				

② 6월

일	월	화	수	목	금	토
				1	2	3
4	5	6	7	8	9	10
11	12	13	14	15	16	17
18	19	20	㉑	22	23	24
25	26	27	28	29	30	

③ 11월

일	월	화	수	목	금	토
			1	2	3	4
5	6	7	8	9	10	11
12	13	14	15	16	17	18
19	20	21	22	23	24	25
26	27	28	29	30		

2. 다음을 잘 듣고 질문에 답해 보세요.
02

1) 언제 회의를 해요?

①

일	월	화	수	목	금	토
				회의		

②

일	월	화	수	목	금	토
				회의		

③

일	월	화	수	목	금	토
					회의	

2) 회의는 몇 시에 시작해요? [ ] [ ] [ ] [ ] 에 시작해요.

3. 다시 듣고 대화를 완성해 보세요.
03

마리 : 재민 씨, ... 회의를 해요?

재민 : 아니요. ....

마리 : .... 시작해요?

재민 : .... 시작해요.

4. 대화를 다시 듣고 따라 해 보세요.
04

5. 잘 듣고 다음과 같이 알맞은 끝소리에 √ 표시를 해 보세요.
05

1) 밖 ① [ㄱ] (√) ② [ㄷ] ( )

2) 몇 ① [ㄱ] ( ) ② [ㄷ] ( )

3) 옆 ① [ㄱ] ( ) ② [ㅂ] ( )

4) 낮 ① [ㄷ] ( ) ② [ㅂ] ( )

나와 친구의 주말 1

1. 다음을 잘 읽고 질문에 답하세요.

10일	월	영화
11일	화	수지-쇼핑
12일	수	
13일	목	요리 수업
14일	금	
15일	토	아르바이트
16일	일	아르바이트

저는 월요일에 영화를 봐요. 영화는 저녁 여덟 시 반에 시작해요. 화요일에는 수지 씨를 만나요. 오후 한 시에 수지 씨와 쇼핑을 해요. 목요일에 요리를 배워요. 요리 수업은 오후 다섯 시에 있어요. 토요일하고 일요일에 카페에서 아르바이트를 해요.

1) 언제 영화를 봐요?

① 　　② 　　③

2) 언제 수지 씨와 쇼핑을 해요?

화요일에 만나요. ☐☐ ☐ ☐ 에 쇼핑을 해요.

3) 읽은 내용과 같으면 ○, 다르면 × 표시를 해 보세요.

① 요리 수업은 목요일 아침에 있어요.　　(　　)
② 이 사람은 주말에 아르바이트를 해요.　　(　　)

나와 친구의 주말 2

1. 다음 문장을 보고 따라 써 보세요.

1)

월	요	일	에		영	화	를		봐	요	.		
월	요	일	에		영	화	를		봐	요	.		

2)

주	말	에		요	리		수	업	이		있	어	요	.
주	말	에		요	리		수	업	이		있	어	요	.

3)

오	후		세		시	에		카	페	에		가	요	.
오	후		세		시	에		카	페	에		가	요	.

2. 그림을 보고 다음 표현을 사용하여 글을 완성해 보세요.

월	
화	회의
수	안나-점심 (12시)
목	세종학당 (7시)
금	
토	
일	

저는 _____ (화요일) 회의를 해요.

수요일에 안나 씨를 _____. (만나다)

열두 시에 안나 씨하고 _____. (점심, 먹다)

_____ (목요일) 세종학당에 가요.

한국어 수업은 _____. (저녁 7시, 있다)

3. 알맞은 표현을 골라 글을 완성해 보세요.

월요일	수영, 배우다	오후, 6시	오후 3시, 있다

저는 _____ 아르바이트를 해요. 화요일에 주노 씨를 만나요.

주노 씨하고 저녁을 먹어요. 금요일에 _____. 수영 수업은 _____.

날씨와 계절

1. 날씨가 어때요? 그림을 보고 써 보세요.

1)

비가 와요.

2)

3)

4)

5)

6)

2. 그림을 보고 대화를 완성해 보세요.

날씨가 어때요?

시원해요.

1)

가 : 오늘 날씨가 어때요?

나 : 좀 쌀쌀해요. 그리고 _____ .

2)

가 : 지금 서울은 날씨가 흐려요?

나 : 아니요. _____ . 그리고 따뜻해요.

3)

가 : 한국의 여름 날씨가 어때요?

나 : _____ . 그리고 _____ .

4)

가 : 토요일에 눈이 와요?

나 : 네. _____ . 그리고 _____ .

안

1. 빈칸을 채워 보세요.

동사	안	동사	안	형용사	안
가다	안 가요	일하다	일 안 해요	좋다	안 좋아요
먹다		공부하다		비싸다	
오다		요리하다		★덥다	안 더워요
좋아하다		운동하다		★춥다	안 추워요

2. 다음과 같이 문장을 완성해 보세요.

저는 사과를 좋아해요. 제 친구는 사과를 안 좋아해요.

1) 수지 씨는 공원에 가요. 안나 씨는 _____ .

2) 마리 씨는 지금 공부해요. 유진 씨는 _____ .

3) 서울은 비가 와요. 베이징은 _____ .

4) 아침에 바빠요. 저녁에 _____ .

5) 저는 고기를 먹어요. 동생은 _____ .

6) 토요일에 아르바이트를 해요. 일요일에는 _____ .

3. 그림을 보고 대화를 완성해 보세요.

오늘 날씨가 추워요?

아니요. 안 추워요. 따뜻해요.

1)

가 : 지금 비가 와요?

나 : 아니요. _____ .

눈이 와요.

2)

가 : 오늘 비빔밥을 먹어요?

나 : 아니요. _____ .

불고기를 먹어요.

3)

가 : 토요일에 일해요?

나 : 아니요. _____ .

영화를 봐요.

4)

가 : 아침에 주스를 마셔요?

나 : 아니요. _____ .

우유를 마셔요.

ㅂ 불규칙

1. 빈칸을 채워 보세요.

형용사	-아요 / 어요	형용사	-아요 / 어요
덥다	더워요	맵다	매워요
쉽다		가볍다	
춥다		무겁다	
어렵다		아름답다	

2. 다음과 같이 문장을 완성해 보세요.

방	춥다

↓

방이 추워요.

1) 책 / 무겁다 → _____.

2) 숙제 / 쉽다 → _____.

3) 김치 / 맵다 → _____.

4) 시험 / 어렵다 → _____.

5) 가방 / 가볍다 → _____.

6) 꽃 / 아름답다 → _____.

3. 그림을 보고 대화를 완성하세요.

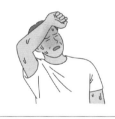

오늘 날씨가 어때요?

아주 더워요.

1)
가 : 지금 뭐 해요?
나 : 숙제해요. 숙제가 너무 _____.

2)
가 : 제주도가 어때요?
나 : 바다가 아주 _____.

3)
가 : 가방이 _____?
나 : 네. 가방이 무거워요.

4)
가 : 서울은 겨울 날씨가 어때요?
나 : _____.

오늘의 날씨

---

1. 날씨에 대해 이야기해요. 잘 듣고 맞는 것을 찾아 번호를 써 보세요. 🔊 01

1) [ ] 2) [ ] 3) [ ]

① ② ③

2. 다음을 잘 듣고 질문에 답해 보세요. 🔊 02

1) 베트남은 날씨가 어때요?

① 따뜻해요. ② 더워요. ③ 비가 와요.

2) 요즘 서울은 날씨가 어때요?

① ② ③

3. 다시 듣고 대화를 완성해 보세요. 🔊 03

지은: 히엔 씨, 잘 지내요?

히엔: 네. 지은 씨, 잘 지내요?

지은: 네. 저는 지금 서울에 있어요. 베트남은 _____?

히엔: _____.

지은: _____?

히엔: 아니요. _____. 거기는 어때요?

지은: 여기는 _____. 바람이 많이 불어요.

---

4. 대화를 다시 듣고 따라 해 보세요. 🔊 04

5. 잘 듣고 바르게 발음한 것에 √ 표시를 해 보세요. 🔊 05

1) 안 와요 가 ( ) 나 ( )

2) 안 더워요 가 ( ) 나 ( )

3) 안 좋아요 가 ( ) 나 ( )

한국의 사계절 1

1. 다음을 잘 읽고 질문에 답하세요.

서울은 요즘 더워요. 날씨가 흐려요. 바람이 안 불어요. 제주도는 아주 더워요. 날씨가 맑아요. 사람들이 바다에 가요. 바다에 바람이 많이 불어요. 바람이 시원해요.

1) 서울은 날씨가 어때요?

①  ②  ③

2) 제주도에서 사람들은 어디에 가요?

[ ][ ] 에 가요.

3) 읽은 내용과 같으면 ○, 다르면 × 표시를 해 보세요.

① 서울은 날씨가 맑아요.   (   )
② 제주도 바다에는 바람이 많이 불어요.   (   )

한국의 사계절 2

1. 다음 문장을 보고 따라 써 보세요.

1)
날	씨	가		어	때	요	?				
날	씨	가		어	때	요	?				

2)
오	늘	은		비	가		안		와	요	.
오	늘	은		비	가		안		와	요	.

3)
바	람	이		많	이		불	어	요	.	
바	람	이		많	이		불	어	요	.	

2. 그림을 보고 다음 표현을 사용하여 글을 완성해 보세요.

오늘은 토요일이에요. 날씨가 .... (안 좋다)

.... (비, 오다)   .... (바람, 불다)

.... (좀 춥다)

내일은 일요일이에요. 일요일은 .... (비, 안 오다)

날씨가 .... (맑다)   .... (따뜻하다)

3. 그림을 보고 알맞은 표현을 골라 글을 완성해 보세요.

눈, 오다	안 좋다	따뜻하다	불다	맑다	안 오다	춥다

오늘은 토요일이에요. 날씨가 ....

바람이 .... 날씨가 좀 ....

내일은 일요일이에요. 일요일은 눈이 ....

날씨가 ....

주말 활동

1. 주말에 어디에 가요? 그림을 보고 써 보세요.

1)

영화관

2)

3)

4)

5)

6)

2. 그림을 보고 대화를 완성해 보세요.

1)

가: 주말에 보통 뭐 해요?

나: _____ 에 가요. _____.

2)

가: 토요일 저녁에 뭐 해요?

나: _____ 에 가요. _____.

이번 토요일에 뭐 해요?

백화점에 가요.
쇼핑을 해요.

3)

가: 이번 일요일 아침에 뭐 해요?

나: _____ 에 가요. _____.

4)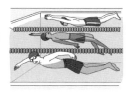

가: 이번 주말에 뭐 해요?

나: _____ 에 가요. _____.

에서

1. 다음과 같이 문장을 완성해 보세요.

| 도서관 | 책을 읽다 | → | 도서관에서 책을 읽어요. |

1) | 방 | 자다 | → _____ .

2) | 집 | 공부하다 | → _____ .

3) | 공원 | 산책하다 | → _____ .

4) | 수영장 | 수영하다 | → _____ .

5) | 카페 | 친구를 만나다 | → _____ .

6) | 식당 | 아르바이트를 하다 | → _____ .

---

2. 그림을 보고 대화를 완성해 보세요.

토요일 오후에 뭐 해요?

영화관에서 영화를 봐요.

1)

가: 일요일에 뭐 해요?
나: _____ .

2)
가: 토요일에 회사에 가요?
나: 아니요. _____ .

3)

가: 주말에 친구를 만나요?
나: 네. _____ .

4)

가: 금요일 저녁에 운동해요?
나: 네. _____ .

-았/었-

1. 빈칸을 채워 보세요.

동사/형용사	-았-	동사/형용사	-었-	동사/형용사	-했-
가다	갔어요	먹다	먹었어요	일하다	일했어요
보다		쉬다		수영하다	
좋다		읽다		공부하다	
만나다		*춥다	추웠어요	따뜻하다	

2. 다음과 같이 문장을 완성해 보세요.

오늘 공원에 가요.

↓

어제 공원에 갔어요.

1) 오늘 친구를 만나요. → ....

2) 오늘 날씨가 더워요. → ....

3) 오늘 집에서 쉬어요. → ....

4) 오늘 영화를 봐요. → ....

5) 오늘 게임을 해요. → ....

6) 오늘 한국어를 공부해요. → ....

3. 그림을 보고 대화를 완성해 보세요.

토요일에 뭐 했어요?

놀이공원에서 친구하고 놀았어요.

1) 가: 어제 뭐 했어요?
   나: ....

2) 가: 토요일 저녁에 뭐 했어요?
   나: ....

3) 가: 그 책이 어땠어요?
   나: ....

4) 가: 제주도는 날씨가 어땠어요?
   나: ....

안나 씨와 재민 씨의 주말

1. 주말에 대해 이야기해요. 잘 듣고 맞는 것을 찾아 번호를 써 보세요.

1) [　　　]　　　2) [　　　]　　　3) [　　　]

① 　　② 　　③

---

2. 다음을 잘 듣고 질문에 답해 보세요.

1) 주노 씨는 주말에 무엇을 했어요? <u>모두</u> 고르세요.

① 운동했어요.　　② 영화를 봤어요.　　③ 집에서 쉬었어요.

2) 안나 씨는 토요일에 무엇을 했어요?

① 　　② 　　③

---

3. 다시 듣고 대화를 완성해 보세요.

주노: 안나 씨, 주말에 _____?

안나: 토요일에 친구가 _____. 우리 집에서 _____.

　　 주노 씨는 주말에 _____?

주노: 저는 토요일에 _____.

　　 일요일에는 _____.

---

4. 대화를 다시 듣고 따라 해 보세요.

5. 잘 듣고 바르게 발음한 것에 √ 표시를 해 보세요.

1) 집에서　　가 (　　) 나 (　　)

2) 재미있어요　가 (　　) 나 (　　)

3) 좋았어요　　가 (　　) 나 (　　)

주말 이야기 1

1. 다음을 잘 읽고 질문에 답하세요.

저는 토요일에 친구하고 바다에 갔어요. 바다에는 사람이 많았어요. 바다에서 수영을 했어요. 그리고 샌드위치를 먹었어요. 저녁에는 산책을 했어요. 우리는 사진을 많이 찍었어요. 밤 11시에 집에 왔어요. 정말 재미있었어요.

1) 이 사람은 토요일에 무엇을 했어요? <u>모두</u> 고르세요.

①  ②  ③

2) 이 사람은 저녁에 무엇을 했어요?

☐☐ 을/를 했어요.

3) 읽은 내용과 같으면 ○, 다르면 × 표시를 해 보세요.

① 밤에 바다에서 수영을 했어요. (　　　)
② 친구하고 사진을 많이 찍었어요. (　　　)

주말 이야기 2

1. 다음 문장을 보고 따라 써 보세요.

1)

어	제	는		공	원	에		갔	어	요	.			
어	제	는		공	원	에		갔	어	요	.			

2)

공	원	에	서		산	책	했	어	요	.				
공	원	에	서		산	책	했	어	요	.				

3)

정	말		재	미	있	었	어	요	.					
정	말		재	미	있	었	어	요	.					

2. 그림을 보고 다음 표현을 사용하여 글을 완성해 보세요.

토요일 오후에 .... (카페, 친구, 만나다)

그리고 같이 .... (영화관, 가다)

.... (백화점, 쇼핑하다)

일요일 오후에는 .... (집, 피자, 만들다)

아주 .... (맛있다)

3. 알맞은 표현을 골라 글을 완성해 보세요.

식당, 밥, 먹다	노래방, 노래하다	공원, 자전거, 타다	재미있다

토요일 오후에 친구하고 ....

그리고 같이 ....

일요일 오후에는 ....

아주 ....

1. 어울리는 단어들을 연결해 보세요.

2. 알맞은 것을 골라 대화를 완성해 보세요.

이번 주말에 뭐 해요?

친구하고 낚시를 해요.

1)　가 : 이번 토요일에 뭐 해요?

　　나 : _____ .

2)　가 : 수지 씨, 어제 뭐 했어요?

　　나 : _____ .

3)　가 : 안나 씨, 내일 뭐 해요?

　　나 : _____ .

4)　가 : 재민 씨, 주말에 축구를 했어요?

　　나 : 아니요. _____ .

-고 싶다

1. 빈칸을 채워 보세요.

동사	-고 싶다	-고 싶어 하다
가다	가고 싶어요	가고 싶어 해요
먹다		
만들다		
요리하다		

2. 다음 중 알맞은 것을 고르세요.

1) 저는 책을 읽고 (싶어요 / 싶어 해요).

2) 재민 씨는 등산을 하고 (싶어요 / 싶어 해요).

3) 유진 씨는 여행을 가고 (싶어요 / 싶어 해요).

4) 저는 케이팝(K-POP) 콘서트를 보고 (싶어요 / 싶어 해요).

5) 마리 씨는 피아노를 배우고 (싶어요 / 싶어 해요).

6) 저는 수지 씨하고 놀이공원에 가고 (싶어요 / 싶어 해요).

3. 그림을 보고 문장을 완성해 보세요.

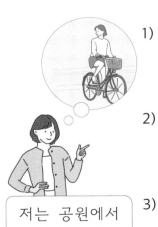

저는 공원에서 자전거를 타고 싶어요.

1) 저는 점심에 _____ .

2) 재민 씨는 _____ .

3) 저는 백화점에서 _____ .

4) 안나 씨는 제주도에 _____ .

-(으)ㄹ까요?

1. 빈칸을 채워 보세요.

동사	-을까요?	동사	-ㄹ까요?
먹다	먹을까요?	가다	갈까요?
앉다		배우다	
찍다		산책하다	
★걷다	걸을까요?	★만들다	만들까요?

2. 다음과 같이 문장을 바꿔 보세요.

같이 저녁을 먹다

↓

같이 저녁을 먹을까요?

1) 8시 30분에 만나다 → _____ ?

2) 같이 야구 경기를 보다 → _____ ?

3) 도서관에서 같이 공부하다 → _____ ?

4) 저 나무 앞에서 사진을 찍다 → _____ ?

3. 다음과 같이 문장을 완성해 보세요.

수요일에 백화점에 갈까요?

네. 같이 백화점에 가요.

1) 가 : 한국 영화를 _____ ?

　나 : 네. 저도 한국 영화를 보고 싶어요.

2) 가 : 공원에서 _____ ?

　나 : 좋아요. 같이 자전거를 타요.

3) 가 : 몇 시에 _____ ?

　나 : 11시에 야구를 해요.

4) 가 : 같이 _____ ?

　나 : 좋아요. 저도 케이크를 만들고 싶어요.

주말 약속

1. 약속에 대해 이야기해요. 잘 듣고 맞는 것을 찾아 번호를 써 보세요. 🔊 01

1) [   ] 2) [   ] 3) [   ]

①   ②   ③

2. 다음을 잘 듣고 질문에 답해 보세요. 🔊 02

1) 유진 씨와 안나 씨는 토요일에 무엇을 해요?

①   ②   ③

2) 유진 씨와 안나 씨는 몇 시에 만나요?

① 2시   ② 2시 30분   ③ 3시

3. 다시 듣고 대화를 완성해 보세요. 🔊 03

안나 : 유진 씨, _____ ?

유진 : 세종수영장에서 배워요.

안나 : 저도 _____ .

유진 : 그럼 토요일에 같이 _____ ?

안나 : 좋아요. _____ ?

유진 : _____ ?

안나 : 네. 좋아요.

---

4. 대화를 다시 듣고 따라 해 보세요. 🔊 04

5. 잘 듣고 바르게 발음한 것에 √ 표시를 해 보세요. 🔊 05

1) 좋아요   가 (   )   나 (   )

2) 많아요   가 (   )   나 (   )

3) 좋아해요   가 (   )   나 (   )

1. 다음을 잘 읽고 질문에 답하세요.

저는 주말에 친구하고 제주도에 가요. 토요일 아침 8시에 공항에서 친구를 만나요. 저는 제주도에서 바다 사진을 찍고 싶어요. 그리고 바다 옆 카페에서 커피를 마시고 싶어요. 친구는 바다에서 수영을 하고 싶어 해요. 그리고 한라산에 가고 싶어 해요. 그래서 토요일에 바다에 가요. 일요일에는 한라산에 가요.

1) 이 사람은 주말에 어디에 가요?

① 　　② 　　③

2) 두 사람은 무엇을 하고 싶어 해요? 연결해 보세요.

①
나

②
친구

3) 두 사람은 일요일에 어디에 가요?

① 　　② 　　③

약속 2

1. 다음 문장을 보고 따라 써 보세요.

1)

몇		시	에		만	날	까	요	?				
몇		시	에		만	날	까	요	?				

2)

놀	이	공	원	에		가	고		싶	어	요	.	
놀	이	공	원	에		가	고		싶	어	요	.	

3)

같	이		태	권	도	를		배	울	까	요	?	
같	이		태	권	도	를		배	울	까	요	?	

2. 그림을 보고 다음 표현을 사용하여 글을 완성해 보세요.

안나 씨, 이번 주 금요일 저녁에
＿＿＿＿＿＿＿＿＿？

(시간, 있다)

저는 영화표가 2장 있어요.
안나 씨하고 ＿＿＿＿＿＿.

(영화관, 같이 가다)

같이 저녁을 먹고 싶어요.
영화는 ＿＿＿＿＿＿.

(5시, 시작하다)

우리 같이 ＿＿＿＿＿＿？

(영화, 보다)

3. 알맞은 표현을 골라 글을 완성해 보세요.

> 농구장, 가다

> 시간, 있다

> 농구 경기, 보다

> 11시, 시작하다

> 저녁, 먹다

재민 씨, 이번 주말에 ＿＿＿＿＿?

저는 농구 경기 표가 2장 있어요. 재민 씨하고

같이 ＿＿＿＿＿.

그리고 같이 ＿＿＿＿＿.

농구 경기는 ＿＿＿＿＿.

우리 같이 ＿＿＿＿＿?

부록

/ 듣기 지문   / 모범 답안   / 자료 출처

듣기
지문
1A

입문  한글을 배워요

I. 한글의 모음과 자음

| 1. 모음 연습 1 | 4번 | 8쪽 |

잘 듣고 맞는 발음에 √ 표시를 해 보세요.

① 어
② 우
③ 으
④ 아
⑤ 에
⑥ 이

| 1. 모음 연습 1 | 5번 | 8쪽 |

잘 듣고 모음을 완성해 보세요.

① 아
② 으
③ 우
④ 이
⑤ 오
⑥ 어

| 2. 자음 연습 1 | 4번 | 11쪽 |

잘 듣고 맞는 발음에 √ 표시를 해 보세요.

① 하
② 지
③ 수
④ 네
⑤ 배
⑥ 거

| 2. 자음 연습 1 | 5번 | 11쪽 |

잘 듣고 글자를 완성해 보세요.

① 나
② 소
③ 그
④ 비
⑤ 더
⑥ 무

| 3. 모음 연습 2 | 4번 | 14쪽 |

잘 듣고 맞는 발음에 √ 표시를 해 보세요.

① 요
② 와
③ 워
④ 뒤
⑤ 녀
⑥ 교

| 3. 모음 연습 2 | 5번 | 14쪽 |

잘 듣고 글자를 완성해 보세요.

① 야
② 귀
③ 벼
④ 와
⑤ 쇼
⑥ 휴

받침이 들어간 글자를 듣고 따라 읽어 보세요.

약, 밖, 부엌
눈, 문, 손
곧, 밑, 옷, 있다, 낮, 빛, 히읗
달, 물, 불
곰, 봄, 땀
밥, 집, 옆
공, 병, 빵

다음 단어를 듣고 알맞은 받침을 써 보세요.

① 강
② 법
③ 물
④ 손
⑤ 춤
⑥ 달
⑦ 곧
⑧ 약
⑨ 걷다
⑩ 책상
⑪ 한글

II. 한글 연습

잘 듣고 맞는 것을 고르세요.

① 아이
② 너무
③ 가수
④ 매우
⑤ 나이
⑥ 다리
⑦ 이사
⑧ 구두
⑨ 개나리
⑩ 그리고

잘 듣고 알맞은 단어를 골라 빈칸에 써 보세요.

① 바지 → 지하 → 하마 → 마리
② 수저 → 저거 → 거미 → 미래
③ 메모 → 모자 → 자주 → 주소

잘 듣고 맞는 것을 고르세요.

① 요리
② 의자
③ 휴가
④ 가요
⑤ 토끼
⑥ 짜다
⑦ 그때
⑧ 크다
⑨ 싸다
⑩ 뿌리

잘 듣고 알맞은 단어를 골라 빈칸에 써 보세요.

① 휴가 → 가위 → 위치 → 치마
② 의사 → 사과 → 과자 → 자꾸
③ 여기 → 기차 → 차이 → 이유

잘 듣고 맞는 발음에 √ 표시를 해 보세요.

① 캐
② 푸
③ 쩌
④ 타
⑤ 쏘
⑥ 끄

잘 듣고 글자를 완성해 보세요.

① 추
② 또
③ 키
④ 써
⑤ 꾸
⑥ 파

잘 듣고 들은 순서대로 번호를 써 보세요.

교실 - 등산 - 공책 - 타조 - 파도 - 의자 - 학교 - 점심 - 찌개

잘 듣고 알맞은 단어를 찾아 써 보세요.

① 불고기
② 한강
③ 서울
④ 남산
⑤ 경복궁
⑥ 태권도
⑦ 김치
⑧ 태극기
⑨ 한복

01 🔊 안녕하세요? 저는 안나예요

소개를 해요. 잘 듣고 맞는 것을 찾아 번호를 써 보세요.

1) 안나: 안녕하세요. 저는 안나예요. 학생이에요.
2) 주노: 저는 주노예요. 회사원이에요.
3) 수지: 제 이름은 수지예요. 한국 사람이에요.

진우: 안녕하세요? 저는 진우예요. 한국 사람이에요.
마리: 안녕하세요? 제 이름은 마리예요. 일본 사람이에요.
　　　 진우 씨는 학생이에요?
진우: 아니요. 저는 경찰이에요. 마리 씨는요?
마리: 저는 회사원이에요.

잘 듣고 맞는 발음에 √ 표시를 해 보세요.

1) 저
2) 머리
3) 일본

02 🔊 전화번호가 뭐예요?

잘 듣고 숫자를 써 보세요.

1) 오십육　　　　 2) 팔십이　　　　 3) 이십사
4) 구십칠　　　　 5) 사백삼십　　　 6) 육백칠십

유진: 마리 씨, 김수미 선생님 전화번호가 뭐예요?
마리: 네. 유진 씨. 선생님 전화번호는 010-1428-3397이에요.
유진: 010-1428-3497, 맞아요?
마리: 3497이 아니에요. 3397이에요.

잘 듣고 바르게 발음한 것에 √ 표시를 해 보세요.

1) 가 [맏아요]　　　　　 나 [마자요]
2) 가 [아라요]　　　　　 나 [알라요]
3) 가 [회사원이에요]　　 나 [회사워니에요]

03 🔊 제 가방은 책상 옆에 있어요

누구 가방이에요? 잘 듣고 맞는 것을 찾아 번호를 써 보세요.

1) 주노 씨 가방은 컴퓨터 옆에 있어요.
2) 안나 씨 가방은 책상 아래에 있어요.
3) 유진 씨 가방은 침대 위에 있어요.

주노: 이거 마리 씨 우산이에요?
마리: 아니요. 제 우산은 의자 밑에 있어요.
주노: 그럼 누구 우산이에요?
마리: 안나 씨 우산이에요.

잘 듣고 바르게 발음한 것에 √ 표시를 해 보세요.

1) 가 [미테]　　　　　 나 [밑에]
2) 가 [있어요]　　　　 나 [이써요]
3) 가 [우산이에요]　　 나 [우사니에요]

04 🔊 한국어를 공부해요

듣고 말하기 | 1번 | 47쪽

이 사람들이 무엇을 해요? 잘 듣고 맞는 것을 찾아 번호를 써 보세요.

1) 친구가 책을 읽어요.
2) 동생이 음악을 들어요.
3) 저는 운동해요.

듣고 말하기 | 2~4번 | 47쪽

재민: 안나 씨, 오늘 뭐 해요?
안나: 저는 오늘 영화를 봐요.
재민: 영화를 좋아해요?
안나: 네. 좋아해요. 재민 씨는 뭐 해요?
재민: 저는 오늘 친구를 만나요.

듣고 말하기 | 5번 | 47쪽

잘 듣고 알맞은 문장에 √ 표시를 해 보세요.

1) 한국어를 공부해요?
2) 안나 씨가 구두를 사요.
3) 동생은 운동을 좋아해요?

05 🔊 빵하고 우유를 사요

듣고 말하기 | 1번 | 53쪽

무엇을 사요? 잘 듣고 맞는 것을 찾아 번호를 써 보세요.

1) 여기는 카페예요. 커피를 사요.
2) 저는 과일을 좋아해요. 자주 먹어요.
3) 마트에 가요. 과자하고 아이스크림을 사요.

듣고 말하기 | 2~4번 | 53쪽

안나: 재민 씨, 어디에 가요?
재민: 집에 우유가 없어요. 그래서 마트에 가요.
안나: 그래요? 저는 편의점에 가요.
재민: 안나 씨는 뭘 사요?
안나: 저는 빵하고 라면을 사요.

듣고 말하기 | 5번 | 53쪽

잘 듣고 바르게 발음한 것에 √ 표시를 해 보세요.

1) 가 [가자]   나 [과자]
2) 가 [뭘]   나 [멀]
3) 가 [라면]   나 [라면]

06 🔊 사과 다섯 개 주세요

듣고 말하기 | 1번 | 59쪽

물건을 사요. 잘 듣고 맞는 것을 찾아 번호를 써 보세요.

1) 라면 다섯 개를 사요.
2) 물 한 병을 사요.
3) 공책 두 권을 사요.

듣고 말하기 | 2~4번 | 59쪽

주인: 손님, 어서 오세요.
안나: 이 과자 얼마예요?
주인: 천 원이에요.
안나: 그럼 여섯 개 주세요.
주인: 네. 모두 육천 원이에요.

듣고 말하기 | 5번 | 59쪽

잘 듣고 다음과 같이 알맞은 끝소리에 √ 표시를 해 보세요.

1) [박]
2) [여섣]
3) [압]
4) [부억]

07 🔊 일곱 시에 시작해요

듣고 말하기 | 1번 | 65쪽

언제 해요? 잘 듣고 맞는 것을 찾아 번호를 써 보세요.

1) 유월 이십일일에 여행을 가요.
2) 시월 칠일에 생일 파티를 해요.
3) 토요일에 한국어를 배워요.

듣고 말하기 | 2~4번 | 65쪽

마리: 재민 씨, 목요일에 회의를 해요?
재민: 아니요. 수요일에 해요.
마리: 몇 시에 시작해요?
재민: 오후 두 시에 시작해요.

듣고 말하기 | 5번 | 65쪽

잘 듣고 다음과 같이 알맞은 끝소리에 √ 표시를 해 보세요.

1) [박]
2) [멷]
3) [엽]
4) [낟]

08 🔊 날씨가 더워요?

듣고 말하기 ┃ 1번 ┃ 71쪽

날씨에 대해 이야기해요. 잘 듣고 맞는 것을 찾아 번호를 써 보세요.

1) 가: 오늘 서울은 날씨가 어때요?
   나: 맑아요. 아주 따뜻해요.
2) 가: 부산은 날씨가 좋아요?
   나: 아니요. 비가 와요. 아주 더워요.
3) 가: 러시아는 요즘 눈이 와요?
   나: 네. 눈이 와요. 추워요.

듣고 말하기 ┃ 2~4번 ┃ 71쪽

지은: 히엔 씨, 잘 지내요?
히엔: 네. 지은 씨, 잘 지내요?
지은: 네. 저는 지금 서울에 있어요. 베트남은 날씨가 어때요?
히엔: 아주 더워요.
지은: 비가 와요?
히엔: 아니요. 안 와요. 거기는 어때요?
지은: 여기는 요즘 좀 쌀쌀해요. 바람이 많이 불어요.

듣고 말하기 ┃ 5번 ┃ 71쪽

잘 듣고 바르게 발음한 것에 √ 표시를 해 보세요.

1) 가 [안#와요]   나 [아놔요]
2) 가 [안#터워요]   나 [안더워요]
3) 가 [안조아요]   나 [안#초하요]

09 🔊 공원에서 산책했어요

듣고 말하기 ┃ 1번 ┃ 77쪽

주말에 대해 이야기해요. 잘 듣고 맞는 것을 찾아 번호를 써 보세요.

1) 가: 주말에 시간 있어요?
   나: 아니요. 이번 주말에는 아르바이트를 해요.
2) 가: 토요일에 뭐 해요?
   나: 백화점에서 쇼핑해요.
3) 가: 일요일에 뭐 해요?
   나: 집에서 드라마를 봐요. 그리고 쉬어요.

듣고 말하기 ┃ 2~4번 ┃ 77쪽

주노: 안나 씨, 주말에 뭐 했어요?
안나: 토요일에 친구가 집에 왔어요. 우리 집에서 한국 영화를 봤어요.
      주노 씨는 주말에 뭐 했어요?
주노: 저는 토요일에 집에서 쉬었어요. 일요일에는 공원에서 운동했어요.

듣고 말하기 ┃ 5번 ┃ 77쪽

잘 듣고 바르게 발음한 것에 √ 표시를 해 보세요.

1) 가 [지베서]   나 [치베서]
2) 가 [재미이써요]   나 [채미이써요]
3) 가 [초아써요]   나 [조아써요]

10 🔊 우리 같이 놀이공원에 갈까요?

듣고 말하기 ┃ 1번 ┃ 83쪽

약속에 대해 이야기해요. 잘 듣고 맞는 것을 찾아 번호를 써 보세요.

1) 가: 같이 농구 경기를 볼까요?
   나: 네. 좋아요.
2) 가: 같이 커피를 마실까요?
   나: 네. 좋아요.
3) 가: 같이 박물관에 갈까요?
   나: 네. 좋아요.

듣고 말하기 ┃ 2~4번 ┃ 83쪽

안나: 유진 씨, 어디에서 수영을 배워요?
유진: 세종수영장에서 배워요.
안나: 저도 수영을 배우고 싶어요.
유진: 그럼 토요일에 같이 수영장에 갈까요?
안나: 좋아요. 몇 시에 만날까요?
유진: 2시 30분에 만날까요?
안나: 네. 좋아요.

듣고 말하기 ┃ 5번 ┃ 83쪽

잘 듣고 바르게 발음한 것에 √ 표시를 해 보세요.

1) 가 [조하요]   나 [조아요]
2) 가 [마나요]   나 [만하요]
3) 가 [조아해요]   나 [조하해요]

모범 답안 1A

입문 ✏️ 한글을 배워요

I. 한글의 모음과 자음

1. 모음 연습 1 | 3번 | 8쪽

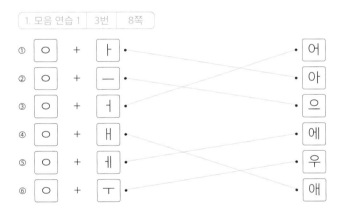

1. 모음 연습 1 | 4번 | 8쪽

② 우
③ 으
④ 아
⑤ 에
⑥ 이

1. 모음 연습 1 | 5번 | 8쪽

② 으
③ 우
④ 이
⑤ 오
⑥ 어

2. 자음 연습 1 | 3번 | 11쪽

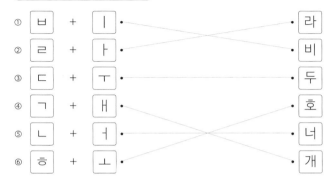

2. 자음 연습 1 | 4번 | 11쪽

② 지
③ 수
④ 네
⑤ 배
⑥ 거

2. 자음 연습 1 | 5번 | 11쪽

② 소
③ 그
④ 비
⑤ 더
⑥ 무

3. 모음 연습 2 | 3번 | 14쪽

② 과
③ 류
④ 희
⑤ 며
⑥ 쥐

3. 모음 연습 2 | 4번 | 14쪽

② 와
③ 워
④ 뒤
⑤ 녀
⑥ 교

3. 모음 연습 2 | 5번 | 14쪽

② 귀
③ 벼
④ 와
⑤ 쇼
⑥ 휴

5. 받침 | 2번 | 17쪽

② 법
③ 물
④ 손
⑤ 춤
⑥ 달
⑦ 곧
⑧ 약
⑨ 걷다
⑩ 책상
⑪ 한글

II. 한글 연습

1. 한글 연습 1 | 1번 | 18쪽

② 너무
③ 가수
④ 매우
⑤ 나이
⑥ 다리
⑦ 이사
⑧ 구두
⑨ 개나리
⑩ 그리고

1. 한글 연습 1 | 2번 | 18쪽

② 저거 → 거미 → 미래
③ 모자 → 자주 → 주소

2. 한글 연습 2 | 1번 | 20쪽

② 의자
③ 휴가
④ 가요
⑤ 토끼
⑥ 짜다
⑦ 그때
⑧ 크다
⑨ 싸다
⑩ 뿌리

2. 한글 연습 2 | 2번 | 20쪽

② 사과 → 과자 → 자꾸
③ 기차 → 차이 → 이유

2. 한글 연습 2 | 3번 | 21쪽

② 취
③ 터
④ 뽀
⑤ 프
⑥ 꾸

2. 한글 연습 2 | 4번 | 21쪽

② 푸
③ 쩌
④ 타
⑤ 쏘
⑥ 끄

2. 한글 연습 2 | 5번 | 21쪽

② 또
③ 키
④ 써
⑤ 꾸
⑥ 파

3. 한글 연습 3 | 1번 | 24쪽

① 5
② 2
③ 8
④ 6
⑤ 7
⑦ 3
⑧ 9
⑨ 4

3. 한글 연습 3 | 3번 | 25쪽

냉	병	회	사	깨	가	족	코	공	책
장	경	공	과	자	방	한	중	낭	상
고	양	이	할	동	손	토	치	영	잘
어	말	빠	기	차	다	운	동	화	제

3. 한글 연습 3 | 4번 | 25쪽

② 한강

③ 서울

④ 남산

⑤ 경복궁

⑥ 태권도

⑦ 김치

⑧ 태극기

⑨ 한복

01 안녕하세요? 저는 안나예요

어휘와 표현 | 1번 | 26쪽

2) 프랑스, 의사

3) 미국, 경찰

4) 베트남, 가수

5) 중국, 요리사

6) 캐나다, 선생님

어휘와 표현 | 2번 | 26쪽

1) 러시아

2) 일본

3) 회사원

4) 의사

문법 1 | 1번 | 27쪽

명사	이에요	명사	예요
물	물이에요	사과	사과예요
책상	책상이에요	의자	의자예요
선생님	선생님이에요	요리사	요리사예요
회사원	회사원이에요	안나 씨	안나 씨예요

문법 1 | 2번 | 27쪽

1) 이에요

2) 예요

3) 예요

4) 이에요

문법 1 | 3번 | 27쪽

누구예요?

선생님이에요, 가수예요, 안나 씨예요, 대학생이에요

뭐예요?

우유예요, 한복이에요, 김치예요, 책상이에요

문법 2 | 1번 | 28쪽

명사	은	명사	는
가방	가방은	저	저는
동생	동생은	모자	모자는
서울	서울은	친구	친구는
이 사람	이 사람은	주노 씨	주노 씨는

문법 2 | 2번 | 28쪽

1) 는

2) 은

3) 는

4) 은

문법 2 | 3번 | 28쪽

1) 주노 씨는 회사원이에요

2) 제 이름은 마리예요

3) 제 친구는 요리사예요

4) 제 동생은 학생이에요

5) 이 사람은 가수예요

6) 선생님은 한국 사람이에요

듣고 말하기 | 1번 | 29쪽

1) ②

2) ③

3) ①

듣고 말하기 | 2번 | 29쪽

1)

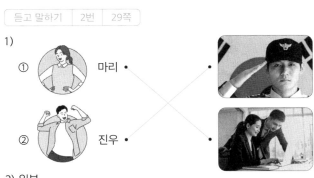

2) 일본

진우: 안녕하세요? 저는 진우예요. 한국 사람이에요.

마리: 안녕하세요? 제 이름은 마리예요. 일본 사람이에요.
　　　진우 씨는 학생이에요?

진우: 아니요. 저는 경찰이에요 . 마리 씨는요?

마리: 저는 회사원이에요.

1) 저

2) 머리

3) 일본

1) ①

2) 한국어 선생님

3) ① ✕　　　　② ○

　　이 사람은 제 친구예요. 이름은 마리예요. 마리 씨는 일본 사람이에요.
마리 씨는 회사원이에요.

　　이 사람은 제 친구예요. 이름은 수지예요. 수지 씨는 한국 사람이에요.
수지 씨는 대학생이에요.

02 ✏️　전화번호가 뭐예요?

십구	19	20	이십
십칠	17	18	십팔
십오	15	16	십육
십삼	13	14	십사
십일	11	12	십이
구	9	10	십
칠	7	8	팔
오	5	6	육
삼	3	4	사
일	1	2	이

1) 25	2) 12
3) 39	4) 93
5) 58	6) 67
7) 130	8) 750

명사	이	명사	가
가방	가방이	카페	카페가
동생	동생이	요리사	요리사가
이름	이름이	안나 씨	안나 씨가
선생님	선생님이	전화번호	전화번호가

1) 이

2) 가

3) 이

4) 가

1) 여기가 세종학당이에요

2) 5층이 영화관이에요

3) 웨이 씨가 요리사예요

4) 이 사람이 안나 씨예요

5) 수지 씨가 제 친구예요

6) 저 사람이 주노 씨 형이에요

명사	이 아니에요	명사	가 아니에요
물	물이 아니에요	구두	구두가 아니에요
식당	식당이 아니에요	의자	의자가 아니에요
학생	학생이 아니에요	친구	친구가 아니에요
한국 사람	한국 사람이 아니에요	옷 가게	옷 가게가 아니에요

1) 이 아니에요

2) 가 아니에요

3) 이 아니에요

4) 가 아니에요

문법 2 | 3번 | 34쪽

1) 학생이 아니에요, 회사원이에요
2) 옷이 아니에요, 모자예요
3) 남자 친구가 아니에요, 오빠예요
4) 교실이 아니에요, 식당이에요

듣고 말하기 | 1번 | 35쪽

1) 56	2) 82	3) 24
4) 97	5) 430	6) 670

듣고 말하기 | 2번 | 35쪽

1) ③
2) 010-1428-3397

듣고 말하기 | 3번 | 35쪽

유진: 마리 씨, 김수미 선생님 전화번호가 뭐예요?
마리: 네. 유진 씨. 선생님 전화번호는 010-1428-3397이에요.
유진: 010-1428-3497, 맞아요?
마리: 3497이 아니에요. 3397이에요.

듣고 말하기 | 5번 | 35쪽

1) 나
2) 가
3) 가

읽기 | 1번 | 36쪽

1) ②
2) ④
3) ① ○   ② ✕

쓰기 | 2번 | 37쪽

진우 씨는 한국 사람이에요. 진우 씨는 학생이 아니에요. 경찰이에요. 진우 씨 전화번호는 010-1788-3065예요.

쓰기 | 3번 | 37쪽

마리 씨는 일본 사람이에요. 마리 씨는 학생이 아니에요. 회사원이에요. 마리 씨 전화번호는 010-1214-7406이에요.

03 🖉 제 가방은 책상 옆에 있어요

어휘와 표현 | 1번 | 38쪽

2) 책상
3) 의자
4) 책
5) 필통
6) 가방

어휘와 표현 | 2번 | 38쪽

1) 아래
2) 위
3) 안
4) 뒤

문법 1 | 1번 | 39쪽

1) 이
2) 저
3) 그
4) 저

문법 1 | 2번 | 39쪽

1) 그 책
2) 이 가방
3) 저 모자
4) 이 필통

문법 2 | 1번 | 40쪽

1) 카페에 없어요, 은행에 있어요
2) 옷 가게에 없어요, 카페에 있어요
3) 영화관에 없어요, 옷 가게에 있어요
4) 식당에 없어요, 영화관에 있어요

문법 2 | 2번 | 40쪽

1) 칠판 위에 있어요
2) 책 옆에 있어요/책상 위에 있어요
3) 집 밖에 있어요
4) 백화점 앞에 있어요

듣고 말하기 | 1번 | 41쪽

1) ③
2) ①
3) ②

듣고 말하기 | 2번 | 41쪽

1) 의자 밑

2) ②

듣고 말하기 | 3번 | 41쪽

주노: 이거 마리 씨 우산이에요?
마리: 아니요. 제 우산은 의자 밑에 있어요.
주노: 그럼 누구 우산이에요?
마리: 안나 씨 우산이에요.

듣고 말하기 | 5번 | 41쪽

1) 가

2) 나

3) 나

읽기 | 1번 | 42쪽

1) ③

2) 칠판 위

3) ㉠ ○　　　㉡ ✕

쓰기 | 2번 | 43쪽

여기는 회사예요. 이 책상이 제 책상이에요. 제 책상 위에 컴퓨터가 있어요. 컴퓨터 옆에 사진이 있어요.

쓰기 | 3번 | 43쪽

여기는 교실이에요. 이 책상이 제 책상이에요. 제 책상 위에 책이 있어요. 책 옆에 필통이 있어요.

04 ✎ 한국어를 공부해요

어휘와 표현 | 1번 | 44쪽

2) 봐요　　　3) 일해요　　　4) 만나요　　　5) 읽어요

6) 자요　　　7) 요리해요　　　8) 마셔요

어휘와 표현 | 2번 | 44쪽

1) 마셔요

2) 사요

3) 들어요

4) 읽어요

문법 1 | 1번 | 45쪽

동사	-아요	동사	-어요	동사	-해요
보다	봐요	먹다	먹어요	일하다	일해요
사다	사요	읽다	읽어요	공부하다	공부해요
자다	자요	마시다	마셔요	요리하다	요리해요
만나다	만나요	★듣다	들어요	좋아하다	좋아해요

문법 1 | 2번 | 45쪽

1) 봐요

2) 요리해요

3) 좋아해요

4) 만나요

문법 1 | 3번 | 45쪽

1) 주노 씨가 책 읽어요

2) 마리 씨가 텔레비전 봐요

3) 재민 씨가 일해요

4) 수지 씨가 운동해요

문법 2 | 1번 | 46쪽

명사	을	명사	를
밥	밥을	사과	사과를
책	책을	영화	영화를
음악	음악을	친구	친구를
학생	학생을	커피	커피를

문법 2 | 2번 | 46쪽

1) 아이가 우유를 마셔요.

2) 형이 강아지를 좋아해요.

3) 유진 씨가 한국 음식을 먹어요.

4) 선생님이 책을 읽어요.

문법 2 | 3번 | 46쪽

1) 가방을

2) 꽃을

3) 커피를

4) 피아노를

듣고 말하기 | 1번 | 47쪽

1) ②

2) ③

3) ①

1) 영화
2) ②

재민: 안나 씨, 오늘 뭐 해요?
안나: 저는 오늘 영화를 봐요.
재민: 영화를 좋아해요?
안나: 네. 좋아해요. 재민 씨는 뭐 해요?
재민: 저는 오늘 친구를 만나요.

1) 한국어를 공부해요?
2) 안나 씨가 구두를 사요.
3) 동생은 운동을 좋아해요?

1) 책, 읽어요
2) ③
3) ① ○   ② ✕

카페예요. 재민 씨는 1) 커피를 마셔요. 유진 씨는 2) 빵을 먹어요. 수지 씨는 3) 책을 읽어요. 안나 씨는 4) 한국어를 공부해요.

세종학당 교실이에요. 안나 씨는 책을 읽어요. 유진 씨는 핸드폰을 봐요. 주노 씨는 커피를 마셔요. 마리 씨는 음악을 들어요.

05 🖉 빵하고 우유를 사요

2) 회사
3) 카페
4) 식당
5) 마트
6) 공원

1) 우유
2) 과일
3) 빵
4) 커피

1) 안나 씨가 학교에 가요
2) 주노 씨가 공원에 가요
3) 마리 씨가 회사에 가요
4) 동생이 마트에 가요
5) 친구가 카페에 가요
6) 형이 백화점에 가요

1) 식당에 가요
2) 학교에 가요
3) 집에 가요
4) 어디에 가요

1) 책하고 필통이
2) 영화관하고 식당에
3) 주노 씨하고 마리 씨를
4) 빵하고 우유를
5) 커피하고 주스를
6) 한국어하고 중국어를

1) 컴퓨터하고 책이 있어요
2) 재민 씨하고 마리 씨를 만나요
3) 사과하고 바나나를 좋아해요
4) 물하고 라면을 사요

1) ③
2) ②
3) ①

1) ②
2) 빵, 라면

안나: 재민 씨, 어디에 가요?
재민: 집에 우유가 없어요. 그래서 마트에 가요.
안나: 그래요? 저는 편의점에 가요.
재민: 안나 씨는 뭘 사요?
안나: 저는 빵하고 라면을 사요.

듣고 말하기　5번　53쪽

1) 나
2) 가
3) 나

읽기　1번　54쪽

1) ①, ②
2) 친구
3) ① ○　　　　② ○

쓰기　2번　55쪽

　　오늘 수지 씨는 주노 씨를 만나요. 같이 백화점에 가요. 수지 씨는
옷하고 신발을 사요. 주노 씨는 모자하고 안경을 사요.

쓰기　3번　55쪽

　　오늘 안나 씨는 유진 씨를 만나요. 같이 마트에 가요. 안나 씨는
과일을 좋아해요. 그래서 사과하고 포도를 사요. 유진 씨는 빵하고
우유를 사요.

06 ✏️　사과 다섯 개 주세요

어휘와 표현　1번　56쪽

1) 한 개	2) 두 개	3) 세 개	4) 네 개	5) 다섯 개
6) 여섯 개	7) 일곱 개	8) 여덟 개	9) 아홉 개	10) 열 개
11) 열한 개	12) 열두 개	……	13) 스무 개

어휘와 표현　2번　56쪽

1) 세
2) 여덟
3) 한
4) 두

문법 1　1번　57쪽

1) 명
2) 개
3) 개
4) 권
5) 병
6) 개

문법 1　2번　57쪽

1) 가: 마리
　　나: 고양이가 한 마리 있어요
2) 가: 명
　　나: 한국 친구가 두 명 있어요
3) 가: 권
　　나: 공책을 여섯 권 사요
4) 가: 장
　　나: 영화표를 아홉 장 사요

문법 2　1번　58쪽

동사	-으세요	동사	-세요
앉다	앉으세요	가다	가세요
읽다	읽으세요	보다	보세요
★듣다	들으세요	대답하다	대답하세요

문법 2　2번　58쪽

1) 따라 하세요
2) 읽으세요
3) 보세요
4) 펴세요

문법 2　3번　58쪽

1) 타세요
2) 가세요
3) 앉으세요
4) 들으세요

듣고 말하기　1번　59쪽

1) ②
2) ①
3) ③

듣고 말하기　2번　59쪽

1) ②
2) 육천 원

듣고 말하기　3번　59쪽

주인: 손님, 어서 오세요.
안나: 이 과자 얼마예요?
주인: 천 원이에요.
안나: 그럼 여섯 개 주세요.
주인: 네. 모두 육천 원이에요.

듣고 말하기 | 5번 | 59쪽

2) ①

3) ②

4) ①

읽기 | 1번 | 60쪽

1) 과일 가게

2) ①, ③, ④

3) ① ✕   ② ✕

쓰기 | 2번 | 61쪽

저는 편의점에 가요. 물 한 병을 사요. 과자 세 개하고 라면 두 개를 사요. 모두 만 이천팔백 원이에요.

쓰기 | 3번 | 61쪽

저는 마트에 가요. 주스 두 병하고 계란 열 개를 사요. 모두 만 육천 오백 원이에요.

07 ✏️ 일곱 시에 시작해요

어휘와 표현 | 1번 | 62쪽

1) 일월	2) 이월	3) 삼월
4) 사월	5) 오월	6) 유월
7) 칠월	8) 팔월	9) 구월
10) 시월	11) 십일월	12) 십이월

어휘와 표현 | 2번 | 62쪽

1) 팔월 삼일 수요일

2) 팔월 십육일 화요일

3) 팔월 십이일 금요일

4) 팔월 십팔일 목요일

문법 1 | 1번 | 63쪽

1) 일월 십칠일에

2) 유월 삼십일에

3) 매주 일요일에

4) 매주 목요일에

문법 1 | 2번 | 63쪽

1) 목요일에 봐요

2) 일요일에 해요

3) 화요일에 가요

4) 토요일에 가요

문법 2 | 1번 | 64쪽

1) 한 시예요.   2) 여섯 시예요.

3) 열한 시 삼십 분이에요.   4) 다섯 시 십 분이에요.

5) 여덟 시 이십오 분이에요.   6) 두 시 사십 분이에요.

문법 2 | 2번 | 64쪽

1) 열 시에

2) 두 시에

3) 일곱 시에

4) 열 시에

듣고 말하기 | 1번 | 65쪽

1) ②

2) ①

3) ③

듣고 말하기 | 2번 | 65쪽

1) ①

2) 오후 두 시

듣고 말하기 | 3번 | 65쪽

마리: 재민 씨, 목요일에 회의를 해요?

재민: 아니요. 수요일에 해요.

마리: 몇 시에 시작해요?

재민: 오후 두 시에 시작해요.

듣고 말하기 | 5번 | 65쪽

2) ②

3) ②

4) ①

읽기 | 1번 | 66쪽

1) ②

2) 오후 한 시

3) ① ✕   ② ○

쓰기 | 2번 | 67쪽

저는 화요일에 회의를 해요. 수요일에 안나 씨를 만나요. 열두 시에 안나 씨하고 점심을 먹어요. 목요일에 세종학당에 가요. 한국어 수업은 저녁 일곱 시에 있어요.

쓰기   3번   67쪽

저는 월요일에 아르바이트를 해요. 화요일에 주노 씨를 만나요. 오후 여섯 시에 주노 씨하고 저녁을 먹어요. 금요일에 수영을 배워요. 수영 수업은 오후 세 시에 있어요.

08 날씨가 더워요?

어휘와 표현   1번   68쪽

2) 맑아요.
3) 눈이 와요.
4) 더워요.
5) 바람이 불어요.
6) 흐려요.

어휘와 표현   2번   68쪽

1) 바람이 불어요
2) 맑아요
3) 비가 와요, 더워요
4) 눈이 와요, 추워요

문법 1   1번   69쪽

동사	안	동사	안	형용사	안
가다	안 가요	일하다	일 안 해요	좋다	안 좋아요
먹다	안 먹어요	공부하다	공부 안 해요	비싸다	안 비싸요
오다	안 와요	요리하다	요리 안 해요	★덥다	안 더워요
좋아하다	안 좋아해요	운동하다	운동 안 해요	★춥다	안 추워요

문법 1   2번   69쪽

1) 공원에 안 가요
2) 공부 안 해요
3) 비가 안 와요
4) 안 바빠요
5) 안 먹어요
6) 안 해요

문법 1   3번   69쪽

1) 비가 안 와요
2) 비빔밥을 안 먹어요
3) 토요일에 일 안 해요
4) 주스를 안 마셔요

문법 2   1번   70쪽

형용사	-아요/어요	형용사	-아요/어요
덥다	더워요	맵다	매워요
쉽다	쉬워요	가볍다	가벼워요
춥다	추워요	무겁다	무거워요
어렵다	어려워요	아름답다	아름다워요

문법 2   2번   70쪽

1) 책이 무거워요
2) 숙제가 쉬워요
3) 김치가 매워요
4) 시험이 어려워요
5) 가방이 가벼워요
6) 꽃이 아름다워요

문법 2   3번   70쪽

1) 어려워요
2) 아름다워요
3) 무거워요
4) 추워요

듣고 말하기   1번   71쪽

1) ②
2) ③
3) ①

듣고 말하기   2번   71쪽

1) ②
2) ③

듣고 말하기   3번   71쪽

지은: 히엔 씨, 잘 지내요?
히엔: 네. 지은 씨, 잘 지내요?
지은: 네. 저는 지금 서울에 있어요. 베트남은 날씨가 어때요?
히엔: 아주 더워요.
지은: 비가 와요?
히엔: 아니요. 안 와요. 거기는 어때요?
지은: 여기는 요즘 좀 쌀쌀해요. 바람이 많이 불어요.

듣고 말하기   5번   71쪽

1) 나
2) 나
3) 가

1) ②
2) 바다
3) ① ✕   ② ○

　오늘은 토요일이에요. 날씨가 안 좋아요. 비가 와요. 바람이 불어요. 좀 추워요.
　내일은 일요일이에요. 일요일은 비가 안 와요. 날씨가 맑아요. 따뜻해요.

　오늘은 토요일이에요. 날씨가 안 좋아요. 눈이 와요. 바람이 불어요. 날씨가 좀 추워요.
　내일은 일요일이에요. 일요일은 눈이 안 와요. 날씨가 맑아요. 따뜻해요.

09 　공원에서 산책했어요

2) 미용실
3) 백화점
4) 노래방
5) 박물관
6) 도서관

1) 노래방, 노래를 불러요
2) 친구 집, 드라마를 봐요
3) 도서관, 책을 읽어요
4) 수영장, 수영을 해요

1) 방에서 자요
2) 집에서 공부해요
3) 공원에서 산책해요
4) 수영장에서 수영해요
5) 카페에서 친구를 만나요
6) 식당에서 아르바이트를 해요

1) 백화점에서 쇼핑해요
2) 집에서 쉬어요
3) 카페에서 친구를 만나요
4) 공원에서 자전거를 타요

동사/형용사	-았-	동사/형용사	-었-	동사/형용사	-했-
가다	갔어요	먹다	먹었어요	일하다	일했어요
보다	봤어요	쉬다	쉬었어요	공부하다	공부했어요
좋다	좋았어요	읽다	읽었어요	따뜻하다	따뜻했어요
만나다	만났어요	★춥다	추웠어요	수영하다	수영했어요

1) 어제 친구를 만났어요
2) 어제 날씨가 더웠어요
3) 어제 집에서 쉬었어요
4) 어제 영화를 봤어요
5) 어제 게임을 했어요
6) 어제 한국어를 공부했어요

1) 집에서 청소했어요
2) 음식을 만들었어요
3) 어려웠어요
4) 비가 많이 왔어요

1) ③
2) ①
3) ②

1) ①, ③
2) ②

주노: 안나 씨, 주말에 뭐 했어요?
안나: 토요일에 친구가 집에 왔어요. 우리 집에서 한국 영화를 봤어요. 주노 씨는 주말에 뭐 했어요?
주노: 저는 토요일에 집에서 쉬었어요. 일요일에는 공원에서 운동했어요.

듣고 말하기 | 5번 | 77쪽

1) 가
2) 가
3) 나

읽기 | 1번 | 78쪽

1) ②, ③
2) 산책
3) ① ✕ 　　　 ② ○

쓰기 | 2번 | 79쪽

　　토요일 오후에 카페에서 친구를 만났어요. 그리고 같이 영화관에 갔어요. 백화점에서 쇼핑했어요.
　　일요일 오후에는 집에서 피자를 만들었어요. 아주 맛있었어요.

쓰기 | 3번 | 79쪽

　　토요일 오후에 친구하고 식당에서 밥을 먹었어요. 그리고 같이 노래방에서 노래했어요.
　　일요일 오후에는 공원에서 자전거를 탔어요. 아주 재미있었어요.

10 ✎　우리 같이 놀이공원에 갈까요?

어휘와 표현 | 1번 | 80쪽

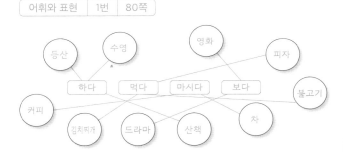

어휘와 표현 | 2번 | 80쪽

1) 집에서 게임해요
2) 영화관에서 영화를 봤어요
3) 공원에서 자전거를 타요
4) 농구를 했어요

문법 1 | 1번 | 81쪽

동사	-고 싶다	-고 싶어 하다
가다	가고 싶어요	가고 싶어 해요
먹다	먹고 싶어요	먹고 싶어 해요
만들다	만들고 싶어요	만들고 싶어 해요
요리하다	요리하고 싶어요	요리하고 싶어 해요

문법 1 | 2번 | 81쪽

1) 싶어요
2) 싶어 해요
3) 싶어 해요
4) 싶어요
5) 싶어 해요
6) 싶어요

문법 1 | 3번 | 81쪽

1) 비빔밥을 먹고 싶어요
2) 농구를 하고 싶어 해요
3) 옷을 사고 싶어요
4) 가고 싶어 해요

문법 2 | 1번 | 81쪽

동사	-을까요?	동사	-ㄹ까요?
먹다	먹을까요?	가다	갈까요?
앉다	앉을까요?	배우다	배울까요?
찍다	찍을까요?	산책하다	산책할까요?
★걷다	걸을까요?	★만들다	만들까요?

문법 2 | 2번 | 82쪽

1) 8시 30분에 만날까요
2) 같이 야구 경기를 볼까요
3) 도서관에서 같이 공부할까요
4) 저 나무 옆에서 사진을 찍을까요

문법 2 | 3번 | 82쪽

1) 볼까요
2) 자전거를 탈까요
3) 야구를 할까요
4) 케이크를 만들까요

듣고 말하기 | 1번 | 83쪽

1) ②
2) ③
3) ①

듣고 말하기 | 2번 | 83쪽

1) ②
2) ②

안나: 유진 씨, 어디에서 수영을 배워요?

유진: 세종수영장에서 배워요.

안나: 저도 수영을 배우고 싶어요.

유진: 그럼 토요일에 같이 수영장에 갈까요?

안나: 좋아요. 몇 시에 만날까요?

유진: 2시 30분에 만날까요?

안나: 네. 좋아요.

1) 나

2) 가

3) 가

1) ②

2)

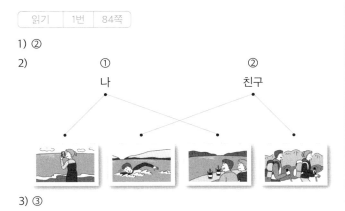

3) ③

　안나 씨, 이번 주 금요일 저녁에 시간이 있어요? 저는 영화표가 2장 있어요. 안나 씨하고 영화관에 같이 가고 싶어요. 같이 저녁을 먹고 싶어요. 영화는 5시에 시작해요. 우리 같이 영화를 볼까요?

　재민 씨, 이번 주말에 시간이 있어요? 저는 농구 경기 표가 2장 있어요. 재민 씨하고 같이 농구장에 가고 싶어요. 그리고 같이 저녁을 먹고 싶어요. 농구 경기는 11시에 시작해요. 우리 같이 농구 경기를 볼까요?

자료
출처
1A

※ 이 교재는 산돌폰트 외 Ryu 고운한글돋움OTF, Ryu 고운한글바탕 OTF 등을 사용하여 제작되었습니다. Ryu 고운한글돋움OTF, Ryu 고운한글바탕OTF 서체는 서체 디자이너 류양희 님에게서 제공 받았습니다.

※ 강승희, 곽명주, 박가을, 이재영, 정원교 작가와 함께 작업했습니다.

| 게티이미지코리아 |

입문 25쪽_14번 3)/4)/5)/9)   1과 26쪽_1번 4)(시계방향으로)①/5)(시계방향으로)①   5과 50쪽_1번 5); 51쪽_2번 4); 53쪽_2번 ②   10과 84쪽_1번 3)②

| 셔터스톡 |

스피커 아이콘
말풍선
연필 아이콘

입문 25쪽_14번 1)/2)/6)/7)/8)   1과 26쪽_1번 1)/2)/3)4)(시계방향으로)②, 5)(시계방향으로)②/③, 6), 2번 (보기)/1)/2)/3)/4); 28쪽_2번; 29쪽_1번 ③, 2번 ①우/②; 30쪽; 31쪽_2번 우, 3번 우   2과 34쪽_2번 1); 35쪽_2번 1)②/③; 36쪽; 37쪽   3과 40쪽_2번 (보기)/1)/2); 41쪽_1번   4과 44쪽; 45쪽_2번 (보기)/4)좌, 3번 3); 46쪽; 47쪽_1번   5과 50쪽_1번 1)/2)/3)/4)/6), 2번; 51쪽_2번 (보기)/1)/2)/3); 52쪽_2번 1)/3); 53쪽_1번 ①우/②/③, 2번 ①/③; 54쪽; 55쪽   6과 56쪽; 58쪽_2번 1)좌/4)좌; 59쪽_1번 ①/③, 2번 ①/③; 60쪽_1번 2)   7과 62쪽; 63쪽; 64쪽; 66쪽; 67쪽   8과 68쪽_1번 2)/3)/4)/5), 2번; 69쪽_3번 1)우/2)/3)/4); 70쪽_3번 1)/4); 71쪽_1번   9과 74쪽_1번; 75쪽_2번 2)/3)/4); 76쪽; 77쪽_1번 ③, 2번 2)①   10과 80쪽_2번 2); 81쪽_3번 (보기)상/1)우/3)우/4); 83쪽_1번 ③; 84쪽_1번 1), 3)①/③   부록 87쪽

메모

기획	국립국어원	박미영 학예연구사
	국립국어원	조 은 학예연구사
집필	책임 집필	이정희 경희대학교 국제교육원 교수
	공동 집필	장미정 고려대학교 교양교육원 조교수
		김은애 서울대학교 언어교육원 대우교수
		천민지 한양대학교 국제교육원 교육전담교수
		김지혜 경희대학교 국제교육원 한국어 강사
		윤세윤 경희대학교 국제교육원 객원교수
	집필 보조	문진숙 경희대학교 국어국문학과 박사수료
		한재민 경희대학교 국어국문학과 박사수료
		정성호 경희대학교 국어국문학과 박사수료
		서유리 경희대학교 국어국문학과 박사과정

발행 국립국어원

주소: (07511) 서울특별시 강서구 금낭화로 154

전화: +82(0)2-2669-9775

전송: +82(0)2-2669-9727

누리집: www.korean.go.kr

초판 1쇄 발행   2022년 9월 1일

초판 9쇄 발행   2024년 12월 2일

편집·제작 공앤박 주식회사

주소: (05116) 서울특별시 광진구 광나루로56길 85, 프라임센터 3411호

전화: +82(0)2-565-1531

전송: +82(0)2-6499-1801

누리집: www.kongnpark.com / www.BooksOnKorea.com (구매)

총괄	공경용
편집	이유진, 김세훈, 이진덕, 여인영, 김령희, 성수정, 최은정, 함소연
영문 편집	Sung A. Jung, Paulina Zolta, Kassandra Lefrancois-Brossard
디자인	오진경, 서은아, 이종우, 이승희
삽화	강승희, 곽명주, 박가을, 이재영, 정원교
관리·제작	공일석, 최진호
IT 자료	손대철
마케팅	윤성호

ISBN 978-89-97134-30-4 (14710)

ISBN 978-89-97134-21-2 (세트)